St

SNEIPEN

Michael Lawrence

Addasiad Matthew Glyn

Gomer

Cyhoeddwyd gyntaf ym Mhrydain yn 2003
gan Orchard Books, 338 Euston Road,
Llundain NW1 3BH dan y teitl *The Snottle.*

Cyhoeddwyd gyntaf yng Nghymru yn 2012
gan Wasg Gomer, Llandysul, Ceredigion SA44 4JL
www.gomer.co.uk

ISBN 978 1 84851 495 9

Dymuna'r cyhoeddwyr gydnabod cymorth
Adrannau Cyngor Llyfrau Cymru.

Argraffwyd a rhwymwyd yng Nghymru gan
Wasg Gomer, Llandysul, Ceredigion

I John Rowland Prest –
beirniad, sylwebydd a ffrind
am nifer fawr iawn o flynyddoedd

Pennod Un

Mae gan Mam ryw hen arfer ffiaidd. Bob tro mae hi'n chwythu'i thrwyn mae'n agor 'i hances ac yn edrych i weld beth sy tu mewn. 'Paid â gneud 'na!' dwi'n sgrechian. 'Be ti'n ddisgwyl 'i weld? Clustdlws coll? Cacen siocled? Drws i Dir na-n'Og?'

'Ma rhwbeth yn bod ar fy sinws i,' yw ateb Mam.

'Ma rhwbeth yn bod ar y ffordd ma 'ngwallt i wedi cael 'i dorri 'fyd,' yw f'ateb i, 'ond welwch chi mohona i'n edrych i mewn i'm hances i chwilio am ateb i 'mhroblem! Nawr, plîs! Peidwch!'

Ond ma hi'n dal i wneud. Gan fynd reit lan 'y nhrwyn i.

A pham dwi'n sôn am hyn? Oherwydd beth ddigwyddodd i Pît, Anni a minnau – rhywbeth o'dd yn gysylltiedig â'r stwff 'na sy'n dod o'n ffroenau ni i gyd. Falle mai smwt trwyn neu snot 'ych chi'n 'i alw. Ond sneips yw'r enw fyddwn ni'n 'i ddefnyddio. Dwi ddim yn gwbod pam, ond dyna'n henw ni am y stwff gwyrdd.

Dechreuodd yr holl beth pan ddaeth merch newydd i'r dosbarth. Steffani o'dd 'i henw, Steff yn fyr, ond ro'dd pawb – neu o leiaf y bechgyn – yn 'i galw'n Honcs. Ro'dd pawb yn 'i galw'n Honcs oherwydd bob rhyw hyn a hyn byddai'n gneud sŵn honcio uchel a byddai rhyw ddripsyn gwyrdd erchyll yn diferu o'i thrwyn. Ro'dd hi'n amhosib gweud pryd fyddai'r honc nesa'n dod. Do'dd dim rhybudd. Dyna lle byddech chi, a'ch llyged ar

gau, yn trio anghofio'r ffaith eich bod chi yn y dosbarth, pan fyddai'r sŵn mwyaf aflafar yn eich taflu o'ch cadair yn sydyn ac yn peri i'ch calon guro fel set o fongos. Ro'dd gan Steff hances maint lliain bwrdd yn 'i llawes a o'dd yn edrych fel cyhyr ychwanegol. Fel arfer, byddai'n llwyddo i ddal y stwff gwyrdd i gyd, ond weithie byddai hwnnw'n taro'r ddesg, neu'r llawr, neu war y person o'i blaen. Yna byddai'n ceisio sychu'r cwbwl yn ffyrnig rhag i neb weld. A phetai hi'n debycach i Mam, byddai'n treulio orie'n syllu ar 'i champwaith.

Ond nid y sŵn o'dd yr unig beth o'dd yn ein gwylltio ni am Steff. Os nad o'dd hi'n honcio, ro'dd hi'n sniffian. Ro'dd 'i thrwyn yn rhedeg yn ddi-baid. Yr unig beth o'dd i'w glywed yn y dosbarth, heblaw am sŵn chwyrnu, o'dd sŵn sniff-sniff-sniffian yn y cefndir. A 'na lle byddai pawb arall yn ishte wrth 'u desgie â'u bysedd yn 'u clustie. Un tro cododd Bryan Ryan ar 'i draed a sgrechian yn 'i chlust, ac am unwaith, chafodd e mo'i ddanfon allan o'r wers. Ro'dd yr olwg ar wynebe'r athrawon yn ddigon i weud 'u bod nhw'n awyddus i neud yr un peth, ond bod gormod o ofn arnyn nhw gael 'u siwio.

'Annwyd gwael, Steffani,' meddai Miss Weeks yn ystod un wers. 'Wyt ti'n cymryd rhywbeth ato?'

'Ti 'di ystyried gwenwyn llygod mawr?' holodd Pît, sy'n 'ishte wrth f'ymyl.

'Dwi 'di trio popeth,' sniffiodd Honcs. 'Mae'r doctor yn meddwl mai rhyw fath o alergedd yw e, neu fod 'na rwbeth yn yr aer sy'n effeithio arna i.'

'Mae'n bosib cael tabledi neu bigiad ar gyfer pob math o alergedd erbyn hyn,' meddai Miss Weeks.

'Dwi 'di trio popeth, Miss. Sdim byd yn gweithio.'

'Wel, dwi'n gobeithio y cei di rywbeth i dy helpu di cyn bo hir!'

Do'dd yr un o'r bechgyn wedi siarad â Honcs ers iddi gyrraedd, ond ro'dd rhai o'r merched yn fwy caredig, gan gynnwys Anni Mint. Anni yw ein ffrind gore. Hynny yw, ffrind gore Pît a minnau. Ma'r ddau ohonon ni'n anwybyddu'r ffaith 'i bod hi'n ferch gan ein bod ni'n nabod ein gilydd er pan oedden ni'n fabis. Dyw hynny ddim yn golygu bod Pît a minnau'n hoffi unrhyw ferched eraill yr ysgol, cofiwch chi. Felly pan ddwedodd Anni rhyw noson ar y ffordd 'nôl o'r ysgol y dylai'r ddau ohonon ni fod ychydig yn fwy caredig wrth Honcs, maddeuwch i ni os nad oedden ni'n *rhy* frwdfrydig.

'Bod yn fwy caredig?' ebychodd Pît. 'Dwi ddim yn gwbod sut allen i fod yn *fwy* caredig wrthi.'

'Ond dwyt ti ddim wedi dweud gair wrthi erioed,' meddai Anni.

'A beth sy'n angharedig am hynny? Merch ddierth yw hi, ac mae ganddi broblem 'da'i thrwyn.'

'Dierth?'

'Ie, o ysgol ddierth mewn tre ddierth.'

'Fydd hi byth yn un ohonon ni os na fyddi di'n fwy croesawgar,' meddai Anni.

'Croesawgar?' meddwn i.

'Jyst meddwl o'n i falle y gallen ni gael aelod arall i Driawd y Buarth.'

Syllodd y ddau ohonon ni'n syn arni. 'Aelod newydd?!'

'Ie. Pam lai?'

'Wel, ble mae dechre?' holais. 'Yn draddodiadol, dim

ond tri sy 'na mewn triawd – fel sy'n wir am driawd y buarth.'

'Mw, mw. Me, me. Cwac, cwac,' meddai Pît.

'Yn gwmws. Allwch chi ddim cael pedwar yn nhriawd y buarth. Mw, mw. Me, me. Cwac, cwac . . . a be? Sniff, Sniff. Dwi ddim yn meddwl!'

'Dwi'n teimlo trueni drosti,' meddai Anni. 'Does ganddi hi neb ond ei mam, mae hi newydd symud i'r ardal a does ganddi ddim ffrindie.'

'Wel, paid â disgwyl i fi helpu,' wfftiodd Pît.

'Drychwch,' meddwn i'n sydyn. 'Rhedwyr.'

'Be?' meddai Anni.

'Rhedwyr. Draw fan 'co.'

Ro'dd 'na dri dyn mewn tracwisgoedd yn rhedeg gyda'i gilydd yn y pellter.

'Be amdanyn nhw?' gofynnodd Anni.

'Dwi ddim yn deall rhedwyr,' dechreuais egluro. 'Sdim ots beth yw'r tywydd, ma'n nhw'n dal wrthi'n rhedeg. Ma' nhw mas o wynt, ma' nhw'n chwysu ac yn edrych fel petaen nhw ar fin llewygu, ac yn gneud hyn i gyd gan wisgo'r dillad twpaf welodd neb erioed. Ydy hynny'n *normal*?'

Syllodd y tri ohonon ni ar y rhedwyr yn diflannu i'r pellter. Yn sydyn, ailgydiodd Pît yn y sgwrs wreiddiol.

'Pam symud yma yn y lle cynta?'

'Pwy?' holodd Anni.

'Honcs a'i mam.'

'Rhwbeth i neud â'r ffaith bod 'i Mam-gu hi 'di marw ac wedi gadael bwthyn i fam Steff yn 'i hewyllys, ond do'dd mam Steff ddim ishe byw 'no, felly dyma hi'n prynu tŷ arall yn yr ardal,' eglurodd Anni.

'Felly, dwyt ti ddim yn gwbod yn iawn pam symudodd hi 'ma?!' wfftiodd Pît.

Syllodd Anni'n syn arno. 'Fyddet ti'n hoffi symud i dre newydd ac i ysgol newydd a chael dy anwybyddu gan bawb?'

Gwenodd Pît. 'Bydde hynny'n ffantastig.'

'Beth 'yn ni'n neud 'ma ta beth?' meddwn i.

'Hy! Beth ti'n feddwl yw . . . beth yw swyddogaeth dynoliaeth ar y ddaear ac yn y bydysawd? A beth yw pwrpas bodolaeth dynol ryw?'

'Na, beth o'n *i*'n feddwl o'dd: beth 'yn ni'n neud *yma* ar bwys y tip sbwriel?'

Rywsut, roedden ni wedi llwyddo i wyro oddi ar ein llwybr diflas arferol adref i lwybr diflas newydd. Ar ein hochr dde ro'dd 'na fynydd anferth o sbwriel. Ro'dd y lle'n cael 'i adnabod fel y Cetyn – rhyw fath o ddymp answyddogol. Hen beth hyll yn drewi fel . . . wel, tip sbwriel o'dd e. Rownd y gornel ar hyd llwybr mwdlyd ma'r tip swyddogol, ond ma 'na lawer o bobol sy'n rhy ddiog i gerdded y llathenni ychwanegol a gwaredu'u sbwriel yn y sgipie anferth sy yno (pob un â label lliwgar yn rhestru beth i'w roi ynddo) felly mae'r Cetyn yn tyfu'n uwch ac yn fwy drewllyd bob dydd.

'Beth yw hwnna?' holodd Pît.

'Beth yw be?' atebais.

'Hwnna.'

Ro'dd 'na rywbeth rhyfedd iawn yng nghrombil y Cetyn. Rhywbeth bach crwn o'dd yn syllu arnon ni wrth i ni gerdded heibio. Safodd pawb yn eu hunfan.

'Mae'n edrych yn debyg i rawnffrwyth,' meddai Anni. 'Grawnffrwyth gwyrdd.'

'Sdim llyged gan rawnffrwyth,' meddwn i.

'*Yn debyg* i rawnffrwyth ddwedes i,' pwysleisiodd Anni.

'Dyw e ddim yn debyg iawn i *unrhyw* beth,' meddwn i eto.

'Bwystfil y Cetyn,' cynigiodd Pît.

'Be?' holodd Anni.

'Chlywsoch chi erioed am chwedl Bwystfil y Cetyn?' holodd Pît eto.

'Naddo.'

Do'n innau heb chwaith. 'Ble glywest ti hi?' gofynnais.

'Clywed be?' holodd Pît.

'Chwedl Bwystfil y Cetyn.'

'Dwi erioed 'di clywed sôn amdani.'

'Ti newydd weud dy fod ti.'

'Na, wnes i ddim. Be ddwedes i o'dd, "Chlywsoch chi erioed am Bwystfil y Cetyn", achos a gweud y gwir, sdim un i ga'l.'

'Felly, do's 'na ddim chwedl.'

'Ddim hyd y gwn i.'

Ceisiais rwystro fy hun rhag trio tynnu ymennydd Pît allan drwy'i glustie. Dechreuodd Anni gerdded yn araf tuag at beth bynnag o'dd ddim yn edrych yn debyg i rawnffrwyth, gan ddal 'i llaw allan.

'Dere te, fwystfil bach,' meddai. 'Dere at Anni.'

'A shwt wyt ti'n gwbod 'i fod e'n siarad Cymraeg?' holodd Pît.

Dechreuodd Anni wneud synau babïaidd, ond arhosodd y creadur yn 'i unfan gan lygadu Anni'n amheus.

'Os gei di afael ar y peth,' meddai Pît, 'paid â dod ag e'n agos ata i.'

'Dwi ddim yn meddwl bod Anni'n bwriadu gneud hynny,' meddwn i.

'Hisht!' meddai Anni. 'Neu fe fyddi di'n 'i ddychryn e.'

'Syniad da,' meddai Pît. Dechreuodd neidio i fyny ac i lawr gan weiddi 'Www-wa, iiii, sŵn, sŵn.'

Ciliodd y creadur yn ôl wrth i faw a sbwriel ddechrau disgyn dros 'i guddfan.

Trodd Anni at Pît a dyrnu'i ysgwydd mor galed nes 'i fod yn sgrechian. Yna dechreuodd gerdded adre hebddon ni.

Pennod Dau

Ro'dd hi bron yn saith o'r gloch, a'r teulu ap Sgiw yn gorweddian o flaen y teledu. Do'dd fawr o bwynt iddyn nhw neud hynny mewn gwirionedd gan fod y teledu wedi penderfynu peidio â gweithio ers cyn amser swper, ond ro'dd hi'n anodd torri ar hen arfer.

'Dyna ni 'to – "pryn rad, pryn eilwaith",' meddai Mam, gan syllu ar Dad gydag edrychiad o'dd yn awgrymu mai arno fe ro'dd y bai am bopeth.

'Ti o'dd ishe prynu teledu, nid fi,' meddai yntau. 'Ro'n i'n ddigon hapus i logi un. Dyna 'yn ni 'di 'neud ers blynyddo'dd heb ddim problem.'

'Dwi 'di cael llond bol ar wastraffu arian ar logi,' meddai Mam.

'A dw inne 'di cael llond bol ar wastraffu arian yn trwsio pethe,' atebodd Dad.

Hawdd credu y byddai'r tŷ 'ma 'di bod yn lle diflas heb deledu. Ond mewn gwirionedd ro'dd digon i'w neud. Dechreuodd Mam edrych ar gatalog wrth i Dad geisio dechrau darllen *Sut i wneud llond trol o arian heb orfod codi o'r soffa* – y llyfr ro'dd Oliver Garrett wedi'i fenthyg iddo am y pumed tro o leiaf. Ro'n i'n gweithio ar brosiect arlunio, sef datblygu stribed cartŵn o'r enw *Capten Abersoch, yr Archdwpsyn*.

'Wel, wel, be nesa?' ebychodd Mam o berfeddion y catalog. 'Cyfflincs priodas personol, ac enwe pawb 'di cael 'u cerfio arnyn nhw.'

'B . . . be?' holodd Dad, gyda chymaint o ddiddordeb â hosan.

'Wel, enwe'r priodfab, y gwas priodas a'r ystlyswyr.'

'Beth yw ystlyswr?'

'Un sy'n chwarae ar yr asgell ac yn sgorio cais!' eglurodd Dad.

Blinodd Mam ar y catalog ac estynnodd am rifyn yr wythnos cynt o'r papur lleol. Eisteddodd yn dawel gan syllu ar y dudalen flaen.

'Ma tân wedi bod yn y capel – wedi'i gynne'n fwriadol, medden nhw.'

'Nid fi wnaeth,' meddai Dad gan droi'i lyfr wyneb i waered yn y gobaith y byddai'n gwneud mwy o synnwyr felly.

'Fandalied, yn ôl y sôn,' meddai Mam eto.

'Wel, do'n i ddim yn meddwl mai'r diaconied o'dd yn gyfrifol.'

'Dyw e ddim yn ddoniol, Mel. Ddylen nhw gael 'u gwahardd.'

'Capeli? Dwi'n cytuno gant y cant.'

'Nage! Fandalied.'

Edrychodd ar 'i lyfr. 'Yn hytrach na'u hannog, ti'n feddwl?'

'Jôc fawr yw popeth i ti, ontefe,' wfftiodd Mam. 'Sdim ots 'da ti bod ein cymdeithas ni'n cwmpo'n ddarne o'n cwmpas ni. Dwi'n casáu fandalied.'

'Ma casáu'n air cryf,' mentrais innau yn llais dwfn *Capten Abersoch, Archdwpsyn*.

'Be?'

'Dyna be *chi*'n weud bob tro dw *i*'n dweud mod i'n casáu rhywbeth. "Ma casáu yn air cryf, Jigi," chi'n ddweud.'

'Wel, mae e. A dwi'n casáu fandalied. Ddylen nhw gael 'u taflu i'r carchar.'

'Fedrwch chi ddim carcharu *pob* fandal,' meddai Dad. 'Mae'r carchardai'n llawn dop o droseddwyr go iawn.'

'Felly beth yw'r ateb 'te? Rhoi DVDs o'u hoff ffilmie iddyn nhw er mwyn 'u cadw oddi ar y strydoedd?'

'Tase hynny'n digwydd, fe fyddwn inne mas ar y stryd yn creu trwbwl hefyd!'

'Ti'n ddylanwad drwg ar y bachgen 'ma,' meddai Mam.

'Pa fachgen?'

'Fe. Dy fab di.'

'Ydw i'n ddylanwad drwg arnat ti, Jig?'

'Na,' atebais.

'Sdim ishe i ni boeni, felly.'

'A beth am bobol sy'n taflu sbwriel?' holodd Mam.

'Sbwriel?' meddai Dad a minnau.

'Ma ishe'u cosbi nhw. Ac os ydyn nhw'n cael 'u dal yr eildro, i'r carchar â nhw dros 'u penne gyda'r fandalied – i garchardai arbennig â'u celloedd wedi'u fandaleiddio ac yn llawn sbwriel. Bydde hynny dysgu gwers iddyn nhw.'

Dyna un wers bwysig, felly, meddyliais – osgoi fandaleiddio a gollwng sbwriel o flaen Mam. Tasen i'n cael 'y nal, dwi'n siŵr y bydde'r postmon yn dod o hyd i 'mhen ar bolyn wrth ymyl y giât fore trannoeth.

Gwthiais *Capten Abersoch* yn ôl i mewn i'w ffolder, gwisgo 'nghlogyn anweledig a gweiddi, 'Lan, lan â fi!' cyn hedfan ar draws y ffordd i dŷ Pît ac Anni, gan gadw un llygad ar y traffig, wrth gwrs. Dwi ddim yn siŵr a gofies i ddweud bod y ddau'n byw yn yr un tŷ er nad

ydyn nhw'n perthyn i'w gilydd o gwbwl. Ar 'u rhieni ma'r bai. Chi'n gweld, ma gan fam Anni a thad Pît ddealltwriaeth: ma hi'n golchi'i gar e, ac mae e'n llosgi'r bwyd. Ac ma'r trefniant i weld yn gweitho'n iawn.

Audrey, mam Anni, agorodd y drws. Es i i fyny'r grisie'n syth. Ro'dd Pît ac Anni yn 'u stafelloedd yn gwylio'r teledu. Ma 'da nhw stafelloedd ar wahân a theledu yr un. Dyw bywyd ddim yn deg. Tase gen i deledu yn fy stafell wely i, bydde popeth yn iawn. Ond ydyn nhw'n fodlon i mi gael teledu yn fy stafell? Na, dim gobeth. Rheol arall ar rhestr rheole cas Mam.

Es i stafell Anni'n gynta gan 'i bod yn agosach at ben y grisie. Ro'dd y drws yn gil agored.

'Be sy'n digwydd 'te?' holais.

'Dim rhyw lawer,' meddai Anni.

'Ti ishe mynd am dro?'

'Nadw, a gweud y gwir.'

Felly, draw â fi i stafell Pît. Ciciais y drws ar agor a sefyll yno'n ddyrne a chyhyre i gyd. Ond chymerodd Pît ddim sylw o gwbwl. Yn ogystal â'r teledu, ro'dd 'i beiriant CD yn chware'n uchel ac ro'dd Pît yn ffrwydro pethe ar 'i gyfrifiadur.

'Be ti'n neud?' holais.

'Lladd y gelyn.'

'Pa elyn?'

'Unrhyw elyn.'

'Ti ishe mynd am dro?'

'Na.'

Ymlaciais fy nghyhyre a dechrau fflicio drwy'r sianelau ar y teledu. Do'dd dim byd yn apelio.

'Dere 'mlan,' meddwn eto. 'Beth am i ni fynd mas?'

Saethodd Pît laser marwol at grŵp o elynion cyn ishte'n ôl yn 'i gadair.

'Wel, dwi 'di cael gwared â'r rhan fwya ohonyn nhw ta beth.'

Aethon ni i nôl Anni ar ein ffordd allan. Ro'dd hithau hefyd 'di cael llond bol ar wylio'r teledu erbyn hyn. Wrth i ni gyrraedd y drws ffrynt, rhuthrodd Pît i gefn y tŷ. Funud yn ddiweddarach, daeth yn ôl ar 'i feic.

'Cerdded nid beicio ro'n i'n feddwl wrth sôn am fynd am dro,' meddwn i.

'Dim ond twpsod sy'n cerdded!' wfftiodd Pît gan ddringo ar gefn 'i feic, ac i ffwrdd ag e. Ciciodd yr arwydd PEIDIWCH BEICIO AR Y PALMANT wrth iddo fynd heibio. Felly, dyma ni'n dilyn Pît drwy'r stad dai. Pan gyrhaeddon ni'r sgip fawr â'r geirie POBL LEOL YN UNIG ar 'i hochr, dyma fi'n sefyll ar flaene 'nhraed ac edrych i mewn iddi. Ond do'dd dim pobl leol ynddi.

Ro'dd Pît yn aros amdanon ni wrth y ffordd fawr. Pwysai yn erbyn postyn lamp â'i freichie wedi'u plethu. 'Ble awn ni 'de?' holodd.

'Sdim ots 'da fi,' meddai Anni a finnau.

Y broblem o'dd, roedden ni wedi bod ym mhob man. Cynigiodd Anni ein bod ni'n mynd i'r dre, ond heblaw am syllu yn ffenestri siope o'dd wedi cau a cheisio osgoi baw ci, do'dd 'na fawr ddim i'w neud yno. Yn y diwedd aethon ni i gyfeiriad hollol wahanol. Pît o'dd yn arwain y ffordd – weithie â'i freichie ar led, weithie â'i ddwylo tu ôl i'w ben fel ffŵl.

'Beth yw'r pryd bwyd mwya drewllyd yn y byd?' gwaeddodd Pît wrth saethu heibio ar ei feic.

'Rhechdan jam!' gwaeddais yn ôl.

'Ti 'di clywed y jôc o'r blaen 'te?'

'Do, ganwaith!'

'Wel, ocê – shwt ma mochyn yn mynd i'r sbyty?'

'Mewn Hambiwlans!' atebais eto.

'Beth sy'n hyll, yn symud yn gyflym, ac os dwedith e un jôc arall dwi'n mynd i stwffio'i ben i lawr y tŷ bach?' holodd Anni wedi cael llond bol ar yr holl firi.

Stopiodd Pît. 'Dim syniad.'

'Ti, Pît!'

'Sai'n deall y jôc 'na,' meddai Pît cyn rhuthro i ffwrdd.

Dechreuais ddifaru peidio dod â 'meic innau hefyd. Ond y broblem yw, does gen i ddim beic. Ma Mam yn credu bod llai o siawns i mi gael fy nharo i lawr os nad oes gen i feic. O! Am blentyndod difreintiedig! Dim teledu yn fy stafell, dim beic, a Mam sy'n fwy llym na'r Führer.

'Ti 'di ffansïo cael beic erio'd, Anni?' holais wrth i ni gerdded rhyw ddeg cam tu ôl i Pît.

'Naddo,' meddai Anni.

'Pam?'

'Mae'n anodd siarad ar gefn beic.'

'Ti'n iawn,' meddwn innau.

Ac yn fuan wedyn, dyma ni'n rhedeg allan o bethau i'w trafod.

Pennod Tri

Trodd y ddinas yn cefn gwlad ymhen dim wrth i ni gerdded i lawr y bryn tuag at Goed Carlwm. Pît gyrhaeddodd y gwaelod gyntaf, ei draed ar y pedale a'i ben-ôl i fyny yn yr awyr. 'Drychwch ar hwn,' meddai wrth i Anni a minnau gyrraedd y gwaelod. Ro'dd Pît yn pwyntio at arwydd mawr o'dd newydd gael 'i godi.

SAFLE WEDI'I NEILLTUO
AR GYFER ADEILADU
HANNER CANT O GARTREFI
PEDAIR STAFELL WELY
O SAFON BENSAERNÏOL

'Hanner cant â phedair *stafell wely*?' holodd Pît gan reidio o gwmpas yr arwydd.

'Hanner cant,' meddwn i'n araf yn y gobaith y byddai'n deall y tro hwn; 'o gartrefi,' yn arafach fyth, 'pedair stafell wely,' un sill ar y tro 'o safon, bensaernïol,' ychwanegais ar gyflymder malwoden flinedig.

'Cartrefi,' meddai Anni. 'Pam ma'n nhw wastad yn gweud hynny?'

'Be? Ti'n disgwyl iddyn nhw weud celwydd?' meddwn i. 'Ti ishe iddyn nhw weud 'u bod nhw'n adeiladau cewyll cwningod o safon bensaernïol? Bocsys

sgidie o safon bensaernïol? Celloedd carchar o safon bensaernïol?'

'Dwi ddim ishe iddyn nhw ddefnyddio'r gair "cartrefi". Dyw tŷ ddim yn gartref nes bod 'na ddodrefn a theulu ynddo fe.'

'Beth yw cartre o safon bensaernïol 'ta beth?' holodd Pît.

'Cartre posh,' esboniais.

'Tŷ,' meddai Anni.

'Dyna beth dwi ddim yn 'i ddeall,' meddai Pît eto. 'Pwy arall heblaw pensaer fydde'n cynllunio tŷ? Y dyn llaeth? Athro chwaraeon? Menyw lolipop?'

Stopiodd Pît a dod oddi ar 'i feic. Gwnaeth stumie o'dd yn cyfleu'r syniad o arwydd dychmygol yn 'i ben.

'Cartrefi o safon wedi'u cynllunio gan . . . yrrwr bws.'

'Tai,' pwysleisiodd Anni.

'Cartrefi o safon wedi'u cynllunio gan . . . y dyn sy'n gweithio yn y siop sglods,' meddai Pît eto.

'TAI!' gwaeddodd Anni gan gicio teiar flaen beic Pît.

'Tai o safon wedi'u cynllunio gan . . . ddyn tân,' pryfociodd Pît gan neidio ar gefn 'i feic. 'Tai o safon wedi'u cynllunio gan . . . y postmon. Tai o safon wedi'u cynllunio gan . . . olchwyr ceir,' meddai gan bedlo i ffwrdd.

'O! Bydd dawel, wnei di!' wfftiais.

Parhaodd Pît i barablu am dai o safon wedi'u cynllunio gan bob math o bobl. Dilynodd Anni a minnau e gan gicio ambell dun cwrw gwag i gyfeiriad y goedwig nes i ni ddod at res o goed â phosteri oren wedi'u plastro drostyn nhw i gyd.

PARCH I GOED –
MAE GAN GOED DEIMLADAU HEFYD
Mae Llygaid Mudiad Rhaid Helpu
ein Coed Hynafol Arnoch CHI!

Ro'dd mudiad 'Rhaid Helpu ein Coedwigoedd Hynafol', neu RHHECH, ymhob man y dyddiau 'ma. Doedd y RHHECHwyr ddim yn hoffi'r syniad o bobl yn cam-drin coed. Eu gelynion pennaf o'dd y rhai o'dd yn torri'r coed i lawr. Roedden nhw'n protestio tu allan i siope nwydde pren o amgylch y wlad. Ac nid dim ond y siope hynny o'dd yn cael 'u targedu ganddyn nhw. Ro'dd 'na stori ar y newyddion yr wythnos o'r blaen yn sôn bod aelod o'r mudiad wedi dwyn coes bren rhyw drempyn o'dd yn cysgu ar stepen drws siop elusennol. Daethpwyd o hyd i'r goes yn nes ymlaen gan griw o blant mewn mynwent. Ro'dd hi wedi cael 'i gosod mewn arch blastig a'i chladdu â'r geirie 'Cwsg mewn hedd' wedi'u cerfio arni.

Ro'dd Pît yn aros amdanon ni ychydig ymhellach ymlaen na'r posteri oren. 'Drychwch,' meddai gan bwyntio'i droed tuag at griw o bobol wrth ochor y ffordd. Edrychai'r criw fel petaen nhw newydd gyrraedd y fan ac yn ceisio cael rhyw fath o drefn ar bethe. Ymhen dim dyma nhw'n dechre llafarganu:

'LLONYDD I'R COED! LLONYDD I'R COED! LLONYDD I'R COED!'

'Protestwyr,' meddai Anni rhag ofn ein bod ni 'di'u camgymryd nhw am griw o olchwyr ffenestri neu ddawnswyr bale.

Daeth Pît oddi ar 'i feic ac aeth y tri ohonon ni i mewn i'r goedwig i gael golwg fanylach. Dyma ni'n dechrau symud yn ofalus o goeden i goeden rhag i neb ein gweld. Ro'dd y RHHECHwyr yn chwifio baneri ac arwyddion at yrwyr o'dd yn rhy brysur yn torri'r gyfraith drwy siarad ar 'u ffone symudol i sylwi arnyn nhw.

'Sdim byd gwell 'da nhw i neud 'te?' holodd Pît.

'Y gyrwyr?' meddwn i.

'Nage! Y RHHECHwyr 'ma.'

'Ma'n nhw'n trio gwarchod y coed,' eglurodd Anni.

'Gwarchod y coed?!' wfftiodd Pît.

'Ti'n hoffi coed,' meddwn i.

'Ydw i?' holodd Pît eto.

'Wyt. Ti'n hoffi dringo coed. Ti'n hoffi pi-pi yn 'u herbyn nhw pan wyt ti'n meddwl bod neb yn edrych.'

'Gwir . . . ond sdim rhaid i fi gael coedwig gyfan ohonyn nhw.'

'Bydde'n well 'da ti ga'l llond cae o dai 'te?' holodd Anni.

'Ma pobol yn gallu byw mewn tai,' meddai Pît.

'Ma pobol yn gallu byw mewn coed 'fyd,' meddwn i.

'A shwt ma'n nhw'n llwyddo i cael 'u rhewgelloedd a'u cyfrifiaduron lan i'r coed 'ma 'te?'

'Ma 'na lot i weud am fyw bywyd syml,' ebychodd Anni.

'Pobol syml sy ishe byw bywyd syml, os ti'n gofyn i fi.'

'LLONYDD I'R COED!'

'Ffylied!' gwaeddodd Pît yn sydyn. 'Cerwch adre. Bant â chi!'

Trodd y RHHECHwyr ac edrych yn syn arnon ni. Wel, fe edrychon nhw'n syn ar Anni a minnau. Ro'dd Pît wedi mynd i guddio tu ôl i goeden erbyn hyn.

Cododd un o'r protestwyr 'i lais. 'Chi wir ishe gweld y goedwig 'ma'n cael 'i dinistrio er mwyn adeiladu mwy o dai?'

Dechreuodd Anni a minnau agor ein cege i weud rhywbeth cyfeillgar fel, 'Na, chi sy'n iawn,' ond cyn i ni allu gweud dim gwaeddodd Pît o'r tu ôl i'r goeden. 'Wfft i'r goedwig! Gobeithio y gwnân nhw 'i llosgi hi i'r llawr.'

'Dwi'n mynd i neud rhywbeth ofnadwy i Pît,' chwyrnodd Anni.

'Un ar y tro, os nad oes ots 'da ti,' meddwn innau.

Syllodd y protestwyr arnon ni cyn penderfynu nad o'dd dim pwynt trio newid ein meddylie ni. Roedden nhw newydd ddechre llafarganu ar y traffig unwaith eto pan glywson ni honc enfawr yn dod o'u canol nhw. Tawelodd y canu. Symudodd rhai pobl i ffwrdd, a dyna pryd welson ni neb llai na Steffani o'n dosbarth ni yn sychu'i hwyneb â'i hances enfawr.

'Be ma *hi*'n neud yng nghanol y protestwyr?' holodd Anni.

A gweud y gwir, do'dd gen i fawr o ddiddordeb pam fod Honcs gyda'r protestwyr. Ro'dd gen i fwy o ddiddordeb mewn bwydo Pît, yn araf bach, i anifail rheibus. 'Twpsod 'yn nhw, os ti'n gofyn i fi,' meddai Pît eto wrth i mi redeg ar 'i ôl. 'Ddylsen nhw gael 'u gyrru i ynys bell, o gyrraedd pawb a phopeth.'

'Rhydd i bawb 'i farn,' meddai llais.

Stopiodd Pît redeg a stopiais innau redeg ar 'i ôl. Ro'dd 'na ddyn canol oed mewn siaced frethyn wedi ymddangos o ganol y coed.

'Gadewch lonydd iddyn nhw,' meddai'r dyn.

'Ond ma'n nhw'n boncyrs,' mentrodd Pît.

'Ma nhw wedi cynhyrfu am 'u bod nhw'n poeni am y coed,' aeth y dyn yn 'i flaen.

'Chi'n un ohonyn nhw?' holais.

Chwerthin wnaeth y dyn. 'Na'dw. Ond fel wedes i, rhydd i bawb 'i farn.'

'S'dim byd gwell 'da chi i neud?' holodd Pît.

Chwarddodd y dyn yn uchel eto a throi 'nôl am y goedwig, fel petai e'n byw yno.

'Ma hi 'di'n gweld ni,' meddai Anni.

'Pwy?' holais.

'Steff.'

A gwir y gair. Ro'dd Steff yn codi'i llaw arnon ni o ganol y protestwyr. Cododd Anni'i llaw yn ôl arni. Penderfynu peidio wnes i. A Pît hefyd. A dyma ni'n penderfynu gadael cyn i ni gael ein camgymryd am brotestwyr, a gorfod llafarganu 'LLONYDD I'R COED!' o fore gwyn tan nos.

Pennod Pedwar

Ma'r gwersi yn Ysgol Bryn Cyprus yn cael 'u cynnal mewn nifer o wahanol stafelloedd dosbarth. Ma'r athrawon yn credu bod yr amrywiaeth yn rhoi gwên ar wynebau bach diniwed y disgyblion. Ond nid dyna'r gwir o bell ffordd. Dwi ddim yn deall y peth. Yr eiliad ry'ch chi wedi setlo'n gyfforddus â'ch traed ar y bwrdd, ma'r gloch yn canu ac ma disgwyl i chi ruthro allan i'r coridor a mynd i'r naill gyfeiriad neu'r llall gan obeithio na fyddwch chi'n mynd ar goll cyn cyrraedd y wers nesa. Cofiwch chi, dwi weithie'n mynd ar goll yn bwrpasol. Y drafferth yw, ma pob un o'r stafelloedd yn edrych yn gwmws yr un peth. Falle y byddai'n syniad gwell tase'r athrawon yn symud o un stafell i'r llall bob tro mae'r gloch yn canu.

Saesneg gyda Mrs Mentrus o'dd y wers gyntaf ar ôl cinio y diwrnod ar ôl i ni fynd i Goed Carlwm a chwrdd â'r dyn yn y got frethyn a gwrando ar y RHHECHwyr. Ro'dd pawb yn ishte yn 'u seddi arferol heblaw am Menna Brynach ac Anni Mint. Fel arfer, ma Anni'n ishte wrth ochr Catrin Morris yn y gwersi Saesneg, ond nid felly heddi. Heddi, ro'dd Menna'n ishte wrth ochr Catrin ac ro'dd Anni'n ishte lle ro'dd Menna'n ishte yr wthnos ddiwetha – reit wrth ochr Steff Honc. Esboniodd Anni'r cyfan ar ôl y wers. Pan ymunodd Steff â'r dosbarth yr wythnos cynt cafodd ei rhoi i ishte yn y sedd wag wrth ochr Menna. Ddywedodd Menna 'run gair wrth Steff,

ond treuliodd y wers gyfan yn pinsio'i braich (braich Steff nid 'i braich 'i hun.) Gan fod Anni'n teimlo trueni drosti, perswadiodd Menna i gyfnewid sedd â hi – trwy gynnig bocs hanner gwag o gnau siocled iddi. Ma Anni'n gwbod nad yw Menna'n gallu gwrthod siocled – hyd yn oed hen siocled. A gweud y gwir, ro'dd y bocs siocled mor hen do'dd y cnau ddim yn siŵr pa fath o gnau oedden nhw, ac ro'dd y siocled wedi troi'n llwyd. Ond do'dd dim ots gan Menna.

Felly dyna lle roedden ni, yn ishte'n dawel ac yn bihafio (am y rheswm syml mai Mrs Mentrus yw Y BÒS) pan ddaeth sŵn honc fyddarol o rywle. Cododd pob pen-ôl oddi ar bob cadair a neidiodd hyd yn oed Mrs M 'nôl mewn sioc. Tasgodd y sialc o'i llaw, taro'r nenfwd a saethu at gefn pen Pît.

'Nid fi wnaeth!' protestiodd yntau gan stwffio'i *DS* i'w boced yn slic.

Ond chymerodd neb sylw o Pît. Ro'dd 'u sylw wedi'i hoelio ar Steff. Yn bersonol, ro'n i'n poeni bod yr honc wedi chwythu ffenestri'r dosbarth allan. Ro'dd desg Steff wedi'i gorchuddio â llysnafedd trwyn, ac ro'dd dau linyn trwchus o'r stwff yn hongian allan o bob ffroen – y math o beth o'dd Tarzan yn 'i ddefnyddio i deithio o amgylch y jyngl i achub Jane slawer dydd.

'Paid symud!' meddai Anni, gan geisio dal y llinynne gwyrdd mewn hances. Gafaelodd yn dynn yn nhrwyn Honc ac ro'dd hi'n dal i afael yn 'i thrwyn pan sylwodd ar rywbeth ar y ddesg a wnaeth iddi anghofio popeth am 'i ffrind. 'Ti'n dal 'y nhrwyn i,' mwmialodd honno ymhen tipyn.

Gollyngodd Anni'i gafael ar drwyn Steff ac edrych

draw at ble ro'dd Mrs Mentrus yn cuddio y tu ôl i'r drws. Pan edrychodd yn ôl at y ddesg daeth golwg betrusgar i'w hwyneb. Dechreuodd Steff lanhau'r llanast â'i hances anferth a llawes 'i siwmper. Yn sydyn, agorodd y drws gan wthio Mrs Mentrus yn erbyn y wal. Yno'n sefyll ro'dd Mr Hubbard, y prifathro. Ro'dd e'n amlwg wedi dod i weld beth o'dd achos y sŵn byddarol. Nid dyma'r tro cyntaf i Mr Hubbard glywed Steff yn honcian, ond heddiw o'dd 'i ddiwrnod cynta 'nôl ar ôl bod ar gwrs 'Sut-i-fod-yn-brifathro-cŵl'.

'Be sy'n mynd mla'n fan hyn?' gwaeddodd. 'Ble ma Mrs Mentrus?'

'Mae hi tu ôôôôôl i chi!' canodd un neu ddau o jôcars, ond ro'dd hi'n amlwg *nad* o'dd Mr Hubbard wedi deall y jôc. Cyn i neb allu esbonio, canodd y gloch ar ddiwedd y wers. Pan welodd y prifathro don o ddisgyblion yn rhuthro tuag ato fel gwenyn at bot jam, suddodd i'w gwrcwd â'i freichiau dros 'i ben. (*Ro'dd Mrs Mentrus yn dal y tu ôl i'r drws yn ystod hyn i gyd ac yn teimlo'n bur fflat, siŵr o fod.)*

Allan ar yr iard, gofynnodd Pît a minnau i Anni be o'dd wedi digwydd yn y dosbarth.

'Welais i'r dyfodol,' meddai Anni.

'Y dyfodol?' holais. 'Y? Be ti'n feddwl, y dyfodol?'

'Dwi'n sôn am y stwff 'na saethodd mas o drwyn Steff. Ro'n i'n gallu gweld llunie ynddo fe – llunie symudol o'dd yn dangos Mrs Mentrus yn sefyll tu ôl i'r drws a Mr Hubbard yn rhuthro i mewn. Weles i'r cwbwl.'

'Wyt ti'n trio gweud,' meddai Pît, 'bo ti 'di gweld beth o'dd yn mynd i ddigwydd, a hynny yng nghanol pwll ych a fi o sneips?'

'Ydw.'

Chwarddodd Pît i mewn i'w lawes yn ôl 'i arfer.

Trodd Anni ata i gan chwilio am gysur – rhywun y byddai'n medru ymddiried ynddo. Rhywun fyddai'n 'i chymryd o ddifri.

'Ti'n 'y nghredu i, yn dwyt ti, Jig?' meddai.

Ro'n i'n methu edrych arni. 'Wel, dwi . . .'

Culhaodd 'i llyged. 'Ti wir yn f'amau i, ar ôl yr holl bethe sy wedi digwydd i ti? A minnau'n dy gredu di *bob* tro.'

'Nid *bob* tro, Anni.'

'Dwi wastad yn barod i gredu mwy nag wyt ti'n haeddu.'

'Ond dwi ddim yn siŵr pa mor barod ydw i i dy gredu di nawr.'

'Ti ishe i fi brofi'r peth i ti?'

'Syniad da.'

'Wel, pan fydd Steff yn honcian nesa, cadwa dy lyged ar be sy'n dod allan o'i thrwyn hi.'

'Well gen i beidio,' meddwn i.

'Ti'n *mynd* i weld be sy'n dod allan o drwyn Steff – hyd yn oed os oes raid i mi rwygo dy lyged allan o dy ben di a'u stwffio nhw i mewn i'r stwff gwyrdd.'

'Anghredadwy,' ochneidiodd Pît gan amneidio â'i ên tuag at gornel tawel o'r iard sy'n cael 'i adnabod fel Yr Ardd Goncrit. Ma mainc breifat 'da ni yno. Bob amser cinio, dyna ble mae'r tri ohonon ni'n cyfnewid creision a brechdane ac yn rhoi'r byd yn 'i le. Mae'n wir nad o'dd hi'n amser cinio y funud honno, ond nid dyna'r pwynt.

Ro'dd rhywun yn ishte ar ein mainc ni. Steff Honc.

'Dwi'n meddwl 'i bod hi'n crio,' meddai Anni.

'Merched!' wfftiodd Pît. 'Wastad yn crio!'

Gafaelodd Anni yn Pît wrth 'i arddwrn a throi'i fraich yn siarp.

'Beth ddwedest ti?'

'*Rhai* merched o'n i'n feddwl.' Gwingodd Pît mewn poen.

Gwasgodd Anni fraich Pît yn galetach. 'Ma'n ddrwg 'da fi? Chlywes i ddim be ddwedest ti.'

'MERCHED AM BYTH!' sgrechiodd Pît mewn mwy fyth o boen.

Gollyngodd Anni fraich Pît. 'A phaid byth anghofio hynny.'

Cerddodd Anni a minnau tuag at yr Ardd Goncrit. Cododd Pît 'i fraich oddi ar y llawr a'n dilyn. Chwifiodd 'i fraich i geisio cael tipyn o deimlad 'nôl iddi. Edrychodd Honc i fyny pan welodd ni'n agosáu.

'Cerwch o 'ma,' meddai.

Symudodd neb 'run fodfedd, er i Pît a minne gadw'n pellter wrth i Anni ishte lawr. Dechreuodd Steff grio eto, ond ar ôl i'r llifogydd gilio perswadiodd Anni hi y gallai ymddiried yn y tri ohonom. Dyna pryd y symudodd Pît a minnau ychydig yn nes. Ond wnaethon ni ddim ishte, wrth gwrs. Mae'n iawn ishte ar bwys Anni, achos wedi'r cyfan ma hi'n un o Driawd y Buarth, nid yn ferch go iawn. Ond petaen ni'n ishte ar bwys Steff, a Bryan Ryan neu un o'r lleill yn ein gweld ni, byddai'r ddau ohonon ni'n destun sbort weddill ein hoes.

Oherwydd mai Anni o'dd un o'r unig bobol o'dd wedi trafferthu i neud ffrindie â hi, dechreuodd Steff esbonio am y tisian a'r sneips.

'Dwi'n meddwl mod i wedi etifeddu'r peth gan Mam-gu,' meddai Steff.

'Ro'dd dy Fam-gu'n honcio, felly?' holodd Pît.

'Honcio?'

'Honcio trwy dy drwyn,' esboniais.

'Honcio,' meddai Steff gan fwynhau sŵn y gair ar 'i thafod. 'Gair da. Ond ro'dd Mam-gu'n gneud hynny'n broffesiynol.'

'Ro'dd dy fam-gu'n honcwraig broffesiynol?'

'Ro'dd hi'n dweud ffortiwn pobol mewn ffeirie.'

'Ti'n trio dweud 'i bod hi'n dweud ffortiwn â'i sneips?'

'Ydw. Jôc o'dd yr holl beth, os ti'n gofyn i fi.'

'Jôc 'itha da.'

Daeth gwên i wyneb Steff wrth iddi adrodd y stori. Ond yr eiliad honno canodd cloch y wers ola.

'Allwn ni gwrdd 'to ar ôl ysgol,' meddai Steff. 'Fe wna i esbonio'r cwbwl. Ond peidiwch â sôn gair am hyn wrth neb! Ma pobol yn meddwl mod i'n rhyfedd yn barod.'

A dyna ni'n tyngu llw Triawd y Buarth i beidio â sôn gair am hyn wrth neb. Er, dwi ddim yn siŵr os ydw i 'di torri'r addewid hwnnw wrth sgrifennu'r cyfan i lawr fan hyn!

Pennod Pump

Do'dd Pît ddim yn awyddus iawn i gael 'i weld gyda Steff ar ôl ysgol, felly pan gwrddon ni â hi ar ddiwedd y prynhawn, tynnodd 'i got dros 'i ben rhag i neb allu gweld 'i wyneb. Ac er mwyn gneud yn hollol siŵr bod neb yn 'i adnabod, lapiodd strap 'i fag ysgol o amgylch 'i wddw fel bod 'i fag yn edrych fel rhyw fath o grwbin mawr hyll. Ro'n i ar fin 'i atgoffa o'r ddau air o'dd yn addurno'i fag mewn styds arian o'dd wastad yn disgleirio yn yr haul gan ddenu sylw pawb o'dd o fewn hanner milltir iddo, ond penderfynais beidio! A beth yw'r ddau air hynny, meddech chi? Wel, PÎT GARRETT.

Wrth i ni grwydro i unman yn arbennig, ailgydiodd Steff yn 'i stori am ddonie dweud ffortiwn 'i mam-gu, gan ddechre drwy sôn am 'i henw proffesiynol.

'Pardwn?' meddai Anni

'Nostrildamws. Dyna'i henw proffesiynol hi.'

'Yn lle Nostradamws.'

'Yn gwmws,' meddai Steff gan sychu'i thrwyn a o'dd erbyn hyn yn llifo fel tap.

'Nostra-beth-ws?' holodd Pît o berfeddion 'i got.

'Nostradamws,' meddwn i. 'Serydddwr yn yr Eidal 'nôl yn y ddeunawfed ganrif.'

'Ffrancwr o'r unfed ganrif ar bymtheg o'dd yn gallu rhagweld y dyfodol,' cywirodd Steff.

'Ac ro'dd e'n gallu rhagweld y dyfodol â'i sneips?'

'Nid â'i sneips, dwi ddim yn meddwl,' meddai Steff.

'Ond dyna beth o'dd Mam-gu'n 'i ddefnyddio. Ro'dd llunie o beth o'dd yn mynd i ddigwydd i'w gweld yng nghanol y cwbwl. Dyna'i dawn hi, a nawr ma'r un ddawn gyda fi . . . ond dwi ddim ishe bod yr un fath â hi!'

'Pryd ddechreuest di honcio?' holodd Anni.

'Ar ôl i Mam-gu farw, symudon ni yma o Gwmllwm Isa. Ma' 'nhrwyn i 'di bod yn rhedeg byth ers i mi gyrraedd a bob rhyw hyn a hyn . . .'

'Ti'n honcio.'

'Ydw.'

'Dros bob man.'

'Ydw. Mae'n codi cwilydd arna i. Dwi'n trio defnyddio hances, ond ma'r cwbwl yn dod mas mor gyflym.'

'A ti'n meddwl dy fod ti'n gallu gweld y dyfodol yn dy sneips di?' holais.

'Nid fi'n unig. Unrhyw un sy'n barod i edrych.'

'Ha-ha-ha,' chwarddodd Pît drwy lawes 'i got.

'Weles i beth o'dd yn mynd i ddigwydd yn y stafell ddosbarth,' meddai Anni.

'Medde' ti,' wfftiodd Pît.

Cododd Anni got Pît a chwyrnu arno. 'Yn gwmws. Medde fi. Oes 'da ti broblem â hynny?'

Penderfynodd Pît beidio ag ateb.

'O'dd dy fam-gu'n honcio i mewn i hances ac yn edrych i weld beth o'dd yno?' holais, gan gofio am arferiad erchyll Mam.

'Na. Ro'dd 'da hi blât arbennig. Plât y Dyfodol – dyna beth o'dd hi'n 'i alw e. Dyna beth o'dd hi'n 'i ddefnyddio pan o'dd pobol yn 'i thalu hi i ddarogan y dyfodol. Ond ro'dd pobl yn dueddol o gwyno, yn rhannol gan fod beth

o'dd Mam-gu yn 'i ddarogan ddim bob amser yn neis, ac ro'dd e'n dueddol o ddigwydd yn 'itha sydyn.'

'Pa fath o bethe fyddai'n digwydd?'

'Pethe bach. Baglu dros rywbeth, colli wìg yn y gwynt – pethe fel 'ny.'

'O'dd dy fam-gu'n sniffian ac yn honcio pan nad o'dd hi'n gweitho?' holodd Anni.

Doedd Steff ddim cweit yn siŵr, ond credai mai dim ond pan o'dd hi'n gwisgo fel Nostrildamws y byddai hi'n gneud. 'Ro'dd hi'n broffesiynol,' ychwanegodd.

'Co nhw 'to,' meddwn i.

'Pwy?' holodd Pît o dan ei got.

'Y rhedwyr.'

Yr un rhedwyr â ddoe oedden nhw, a'r tri'n symud ar hyd y gorwel mewn rhythm perffaith.

'Diddorol iawn,' meddai Pît gan gicio carreg.

'Beth ddigwyddodd i Blât y Dyfodol?' holodd Anni.

'O, fe daflodd Mam hwnnw i ffwrdd ar ôl i Mam-gu farw. Dim ond hen blât tun o'dd e.'

'A be am wisg darogan dy fam-gu?'

'A'th honno i'r siop elusen.'

'Hoff siop Dad,' meddwn i wrth wylio'r rhedwyr yn diflannu dros y gorwel.

'Ond fe gadwes i hwn.'

Estynnodd Steff am rywbeth gwyrddfrown o'dd yn hongian o amgylch 'i gwddw ar gordyn lledr. Edrychai fel hen goncyr fawr cyn i'r plisgyn ddisgyn i ffwrdd. Ro'dd yn bigau i gyd – ond rhai meddal yn hytrach na rhai miniog. Sylweddolais hynny ar ôl cyffwrdd â'r peth. Ac ro'dd 'na ddolen fach ryfedd ar y top – fel llygaid nodwydd – a chordyn wedi'i glymu wrtho.

'Rhyw fath o blisgyn dal hadau yw e, am wn i,' meddai Steff. 'Ro'dd Mam-gu'n credu 'i fod e'n lwcus, ond dwi ddim yn meddwl bod unrhyw beth arbennig yn 'i gylch e, a gweud y gwir. Ond mae e'n arbennig i mi. Dyma'r unig beth sy gen i i gofio am Mam-gu ers i Gwr-y-coed gael 'i werthu.'

'Cwr-y-coed?' holais gan sychu 'nhrwyn, o'dd wedi dechrau rhedeg.

'Dyna o'dd enw'i bwthyn hi yn y goedwig. Cwr-y-coed. Dyna lle gwelsoch chi fi ddoe gyda'r Mudiad "Rhaid Helpu ein Coedwigoedd Hynafol".'

'Y RHHECHwyr,' meddai Pît

'Ymunon ni â'r mudiad ar ôl sylweddoli ein bod 'di cael ein twyllo,' meddai Steff.

'Cael 'ych twyllo?'

'Gadawodd Mam-gu y bwthyn i Mam yn 'i hewyllys, ond do'dd Mam ddim ishe byw yn y goedwig fel rhyw fath o feudwy. Hefyd, 'sdim gwres canolog 'na, ac ro'dd rhywbeth yn bod ar y cyflenwad trydan a nwy. Werthodd Mam y bwthyn a defnyddio'r arian i brynu'r tŷ ry'n ni'n byw ynddo nawr. Ond doedden ni ddim yn sylweddoli bod y person brynodd y bwthyn yn bwriadu dymchwel y tŷ a'r goedwig ac adeiladu stad o dai ar y tir. Pan glywodd Mam am hyn ro'dd hi'n credu ein bod ni wedi cael ein twyllo a phenderfynodd geisio rhwystro'r tai rhag cael 'u hadeiladu.'

'Wel, wel, drychwch ble 'yn ni unwaith 'to,' meddai Pît gan syllu drwy'i lawes.

Edrychodd pawb. Am yr ail ddiwrnod yn olynol roedden ni wrth ymyl y Cetyn.

'Ma'n rhaid bod 'na rywbeth arbennig am y lle 'ma,' meddwn i.

‘Mae ’na,’ meddai Pît. ‘Mae’n hyll ac yn drewi.’

Ro’dd ’na haid o wylanod yn hedfan o amgylch y domen, wrth ’u boddau’n deifio i lawr a chodi eto â’u pigau’n llawn sbwriel. Er bod y môr yn bell i ffwrdd, mae’r gwylanod yn dod i’n hardal ni’n aml. Falle’u bod nhw’n cael llond bol ar hedfan dros ddŵr drwy’r amser.

‘Dwi’n gobeithio nad ’yn nhw’n hoffi creaduried byw,’ meddai Anni.

‘Wrth gwrs ’u bod nhw,’ meddwn i. ‘Pysgod!’

Pwyntiodd Anni tuag at ben bach crwn o’dd yn syllu allan o’r domen.

‘Beth yw e?’ holodd Anni.

‘Beth bynnag yw e, dyw e ddim yn mynd i fod ’na lawer yn hirach,’ meddai Pît.

Ro’dd Pît ar fin taflu carreg tuag at Fwystfil y Cetyn pan afaelodd Anni yn ’i fraich.

‘Os defli di hwnna, *ti* fydd ddim ’ma lawer hirach.’

‘O na!’ ebychodd Steff.

‘O na beth?’ holais innau gan droi ati.

Ro’dd ’i hwyneb yn gryche i gyd, fel petai’n ceisio dal ’i dannedd yn ’i cheg, ac ro’dd hi’n trio twrio am rywbeth i fyny’i llawes nad o’dd yno o gwbwl mewn gwirionedd.

‘Ble ma hi, ble ma hi?’

‘Os mai sôn am dy hances sneipllyd wyt ti,’ meddai Pît, ‘ollyngest ti hi sbel yn ôl.’

‘Pam na ddywedaist ti rywbeth?’ holodd Anni.

‘Ofynnodd ne . . .’

Dwi ddim yn siŵr sut orffennodd brawddeg Pît oherwydd honciodd Steff dros wyneb y person ola i droi ati a holi, ‘O na beth?’

Pennod Chwech

Ro'dd 'na dawelwch llethol am ryw naw pwynt chwech eiliad ar ôl i holl gynnwys trwyn Steff lanio drosta i. Yn ystod y tawelwch hwnnw sefais yn stond, heb flincio, tra bod y lleill yn sefyll yn syllu arna i fel taswn i newydd neud rhwbeth anhygoel yn hytrach na methu symud allan o'r ffordd yn ddigon cyflym.

Pît o'dd y cyntaf i ddweud gair. Syrthiodd 'i fag a'i got i'r llawr wrth iddo syllu ar y llysnafedd ar 'y ngwyneb i.

'Hei, Jig,' meddai. 'Dwi'n gallu gweld y dyfodol. Na, aros eiliad . . . y gorffennol. Waw! Ti'n gwbod be? Ti newydd gael dy honcio!' cyn dechrau chwerthin yn wirion.

Dechreuodd Steff weud 'Sori, sori, sori,' ac fe drïes inne weud, 'Mae'n iawn . . . paid â becso,' ond am ryw reswm ro'dd y geirie'n gwrthod dod mas.

Ro'n i ar fin sychu fy wyneb ar grys Pît, a o'dd fel arfer yn hongian mas o gefn 'i drowsus, pan laniodd rhywbeth arall ar 'y ngwyneb. A beth o'dd y rhwbeth hwnnw? Sai'n gwbod, ond ro'dd e'n trio 'nhagu i a 'nallu i yr un pryd. Stopiodd Pît chwerthin a gollyngodd Anni ryw fath o sgrech. Drïes i sgrechian, ond ro'dd hynny'n amhosib gan fod 'na rwbeth yn llyfu 'ngwyneb i.

Tynnais beth bynnag o'dd yno oddi ar 'y ngwyneb a'i ddal o flaen fy llyged. Ro'dd e'n grwn, yn wyrdd ac yn ceisio gafael ynof i â'i ddwylo bychain. Do'dd ganddo ddim coese na thraed, ac am ryw reswm edrychai'n ddigon hapus.

'O, mae e mor ciwt,' meddai Steff.

'Ciwt?' ebychais innau gan bendroni ai ciwt o'dd y gair Rwsiaidd am erchyll ac ych a fi.

Mae'n rhaid bod y creadur wedi hoffi llais Steff, oherwydd pan ddwedodd hi 'O, mae e mor ciwt,' stopiodd lafoerio a syllu arni. Pan welodd fod trwyn Steff yn rhedeg, neidiodd allan o 'nwylo i, bownsio ar hyd y llawr a thasgu i fyny at 'i hwyneb. Sgrechiodd hithau. Ond yr eiliad y dechreuodd y creadur lyfu'i gwefus ucha, dechreuodd chwerthin.

'Mae'n cosi,' meddai Steff. Gwnaeth Triawd y Buarth 'u gore i gadw'u cinio yn 'u stumoge.

'Mae'n amlwg 'i fod e'n hoffi'r stwff 'na,' mentrodd Anni.

'Mae'n dwlu arno fe, os ti'n gofyn i fi,' meddwn i, gan sychu fy wyneb ar 'y nghrys. Ro'n i'n cael trafferth cadw 'mreichie a 'nghoese'n llonydd. Ma nhw'n mynd braidd yn wyllt os ydw i'n cynhyrfu neu'n cael braw. Dyna sut ges i f'enw. Dwi'n jigio. Dyna pam dwi'n cael 'y ngalw'n Jigi!

Ar ôl i'r creadur lyfu gwefuse Steff yn lân, edrychodd i fyny'i ffroene yn y gobeth bod 'na bryd bwyd arall yn llechu i fyny'i thrwyn.

'Cer i whilo darn o bren,' meddai Pît. 'Allwn ni'i sgubo fe bant wedyn.'

Ond ro'dd yr unig ddarne o bren allen ni 'u gweld yn y domen sbwriel yng nghanol yr holl gewynne brwnt a'r bocsys bwyd seimllyd. Do'n *i* ddim ishe mentro i ganol y Cetyn!

'Cer *di* i whilo darn o bren,' meddwn i.

'Gadewch lonydd iddo fe,' meddai Steff. 'Dim ond trio bod yn gyfeillgar ma fe.'

'Cyfeillgar?' holodd Pît. 'Creadur sy'n byw mewn tomen sbwriel yw e. Mae'n fochaidd.'

'Gallwch chi olchi baw bant.'

'Paid hyd yn oed trio sôn wrth Pît am lendid,' eglurodd Anni. 'Dim ond edrych ar 'i dra'd e sy ishe i ti sylweddoli nad yw e'n deall dim am y peth!'

'Hy! Na, dim diolch!' meddwn i.

Roedden ni i gyd yn disgwyl i'r creadur neidio i'r llawr a mynd 'nôl i ganol y Cetyn ar ôl gorffen 'i wledd. Ond nid dyna beth wnaeth e. Falle 'i fod e'n credu, petai e'n aros o gwmpas y lle'n ddigon hir, y byddai pryd arall yn ymddangos yn weddol sydyn. Dechreuodd chwilio am le i orffwyso. Ond pan welodd blisgyn hadau ei mam-gu o amgylch gwddw Steff, dechreuodd gynhyrfu eto. Dringodd i lawr 'i gwddf a sefyll ar y plisgyn. Ro'dd hwnnw'n rhy fach iddo ond chafodd y creadur ddim trafferth dal yn sownd. Ro'dd yn rhaid i Steff godi'i gên i fyny ac ro'dd symud 'i phen yn dipyn o broblem iddi. Ond do'dd Steff ddim fel petai hi'n poeni.

'Gwrandewch,' meddai Anni. 'Mae'n . . .'

'Mwmian,' meddai Steff yn wên o glust i glust.

Do'dd 'na ddim alaw i'w chlywed, ond ro'dd y creadur yn sicr yn mwmian. Yna, caeodd 'i lygaid a throdd y mwmian yn chwyrnu.

'Dwi'n meddwl 'i fod e'n cysgu,' meddwn i.

'Diolch byth,' meddai Pît. 'Dyma'n cyfle ni i'w ladd e â darn mawr o bren.'

'Paid ti mentro!' rhybuddiodd Steff.

'Ti o ddifri ishe ca'l y peth 'na'n hongian o gwmpas dy wddw di ac yn llyfu dy wyneb di bob tro ma' dy drwyn di'n rhedeg?' holodd Pît.

'Mae'n gwmni,' meddai Steff gan fwytho'r creadur.

Gwenodd y creadur yn gysglyd.

'Be ti'n mynd i neud ag e?' holais.

'Mynd â fe adre.'

'Ti'n mynd i'w gadw fe?'

'Pam lai? Os yw e'n fodlon aros.'

'Bydd raid i ti gael cawell ar 'i gyfer e.'

'Dwi ddim yn mynd i'w roi e mewn cawell.'

'Ond beth os yw e'n beryglus?'

'Dyw e ddim yn beryglus. Mae e'n fy hoffi i.'

'Mae'n hoffi dy sneips di, ti'n feddwl,' meddai Pît.

'Wel, ma' 'da fi ddigon o rheiny.'

'Beth am gael enw i'r creadur?' cynigiodd Anni.

'Enw?' meddai Steff.

'Dylai pawb gael enw,' meddai Anni.

'Beth am "y Drip o'r Tip"?'

'Ma' 'da fi syniad gwell,' meddwn i.

'Oes, siŵr o fod!' wfftiodd Pît dan 'i anadl.

'Sneip,' awgrymais.

'Na, dyw hynny ddim yn swnio'n iawn. Pam na allwn ni gael enw mwy benywaidd?'

'Beth am "Sneipen"?' awgrymodd Steff.

'Be?' holodd pawb arall.

'Sneipen. Enw bach benywaidd hyfryd.'

'Wel, dyna'r cynnig gore hyd yn hyn,' meddai Anni.

'Dwi ddim yn rhy siŵr am hynny,' ychwanegodd Pît.

'Na finnau chwaith,' meddwn i.

Ond gan na allai'r un ohonon ni fod yn gwbwl bendant ai creadur gwrywaidd neu benywaidd o'dd yn hongian o wddw Steff, pleidleisiodd pawb o blaid yr

enw Sneipen. Ac o leia ro'dd y merched wedi cael dweud 'u dweud.

Wrth i ni gerdded i ffwrdd o'r Cetyn, syllodd Pît a minnau ar Sneipen o'dd yn glynu'n dynn wrth y plisgyn o amgylch gwddw Steff.

'Sut mae e'n llwyddo i aros yn ei le fel 'na?' holodd Pît. 'Mae e'n gymaint mwy na'r plisgyn.'

'Pen-ôl gludiog falle,' awgrymodd Steff. 'Ma 'na rywbeth gludiog ar ddwylo'r peth bach 'fyd. Dyna sut y llwyddodd i hongian oddi ar 'y ngwyneb i.'

Teimlais law ar 'y mraich. Anni o'dd ar y pen arall iddi. Ro'dd hi'n amlwg ishe gair bach tawel.

'Dwi ddim yn meddwl fod Pît wedi gweld,' sibrydodd. 'Hy! Mae e mor sensitif â phren mesur! Ond fe weles i.'

'Gweld be?' meddwn i.

'Y dyfodol. Fe weles i'r dyfodol yn y sneips dros dy wyneb di cyn i Sneipen lyfu'r cyfan i ffwrdd.'

'Do fe?' holais. Do'n i'n dal ddim yn credu'r nonsens am y sneips o'dd yn dangos y dyfodol. 'Be welest di 'te?'

Ac ro'dd hi ar fin dweud wrtha i pan benderfynodd haid o wylanod hedfan yn syth tuag ata i a gollwng gwerth wythnos o'u busnes, un ar ôl y llall, drosta i i gyd. Drosta i a neb arall!

'Ie – dyna'n union beth weles i!' meddai Anni a rhedeg i ddal lan â'r lleill.

Pennod Saith

Ro'dd tŷ Steff ryw dafliad carreg i ffwrdd o Stryd Cae Llwm, sef ble'r o'dd Anni, Pît a minnau'n arfer byw cyn i ni symud i Stad Gwynt Isa. Do'dd 'na fawr ddim ar ôl o'r stryd erbyn hyn. Dim ond tri thŷ o'dd yn dal i sefyll gan fod y gweddill wedi cael 'u dymchwel er mwyn ailddatblygu'r lle. Ro'dd hi'n eitha trist gweld y lle'n edrych mor llwm, ond ro'dd Pît o'r farn nad o'dd e erioed wedi gweld yr ardal yn edrych cystal.

Ar Heol Eog ro'dd Steff yn byw. Ac ro'dd enw'r stryd yn addas iawn, a dweud y gwir, achos wrth i ni gerdded ar 'i hyd daeth drewdod cryf pysgod o rywle i lenwi'n ffroenau. Amneidiodd Steff at adeilad mawr ar ben y stryd. 'Ffatri bysgod,' meddai, gan egluro achos yr holl ddrewdod. Ac ro'dd y drewdod hwnnw wedi tynnu sylw grŵp o gathod hefyd. Roedden nhw'n sleifio i fyny ac i lawr y stryd yn y gobaith o ddal pen neu gynffon rhyw bysgodyn. Meddyliais am Stallone, ein cath ni. Ond nid Stallone yw'r gath fwyaf addfwyn yn y byd. Petai Stallone yn gwybod am fodolaeth Heol Eog, byddai'n siŵr o dreulio gweddill 'i fywyd yma. Nid oherwydd y pysgod, cofiwch chi, ond oherwydd yr holl gyfleoedd i ymladd â chathod eraill.

'Dyw byw drws nesa i ffatri bysgod ddim yn sbort,' meddwn i.

'Dwi ddim yn byw *cweit* drws nesa,' meddai Steff gan stopio o flaen yr ail dŷ ar ôl troi'r gornel.

'Shwt alli di ddiodde'r drewdod?' holodd Pît.

'Ni'n hoffi pysgod.'

Yn sydyn daeth sŵn *bip-bip-bip* lori'n symud am yn ôl. Camodd y pedwar ohonon ni allan o'r ffordd cyn i ni gael ein trawsnewid yn fwyd cath.

'Llwyth ffres,' meddai Steff gan wthio'i hallwedd i glo'r drws. 'Ma'n nhw'n cludo'r pysgod yn yr hen loris rhydlyd 'ma, yn 'u prosesu nhw yn yr hen ffatri, ac wedyn yn 'u gwerthu nhw mewn archfarchnadoedd fel "Pysgod o Safon"!'

Ro'dd Steff wedi bod yn dal Sneipen yn 'i dwylo i'w rwystro rhag syrthio oddi ar y plisgyn. Ro'dd hi hefyd wedi bod yn cysgodi Sneipen bob tro ro'dd rhywun yn cerdded heibio. Cysgodd y creadur bach y rhan fwyaf o'r ffordd yn ôl, ond pan glywodd sŵn y lori'n symud, deffrodd. Syllodd drwy fysedd Steff gan edrych yn ofnus iawn. Wrth i Steff gerdded drwy'r drws, stopiodd y *bip-bip-bip*. Ro'dd y lori wedi torri i lawr, a hynny reit o flaen y tŷ. Triodd y gyrrwr danio'r injan ryw hanner dwsin o weithiau, gan regi dan 'i anadl, ond ro'dd peiriant y lori'n gwrthod yn lân â thanio. Gan ragweld y bydden ni'n gorfod helpu i wthio'r lori yr holl ffordd draw i'r ffatri, sleifiodd y pedwar ohonon ni i mewn i dŷ Steff cyn gynted â phosibl, a slamio'r drws yn glep y tu ôl i ni.

Do'dd Rhif 3 Heol Eog ddim yn dŷ mawr, ond ro'dd e'n dŷ golau iawn. Ro'dd 'na ddefnyddiau amryliw dros y waliau, a ffaniau plu estrys, goleuadau amryliw a photiau mawr yn llawn gwellt ymhob man.

'Crochenwraig ydy Mam,' dywedodd Steff.

'Crochen-be?' holodd Pît.

'Crochenwraig,' eglurodd Steff. 'Wel, ro'dd hi'n *arfer* bod yn grochenwraig, ond doedd hi ddim yn gwerthu digon o'i chrochenwaith, felly ma hi'n gweithio'n rhan amser nawr yn y ganolfan grefft leol.'

'Shwt wyt ti'n meddwl y bydd hi'n ymateb i Sneipen?' holodd Anni.

'Sai'n gwbod,' meddai Steff. 'Sdim anifeiliaid anwes 'da ni. Ma Mam yn meddwl bod cadw anifeilied anwes yn annheg. Ond dwi'n siŵr y ca i gadw Sneipen . . . yn enwedig pan ddweda i nad oes ganddi neb arall i ofalu amdani.'

Ro'dd trwyn Steff yn rhedeg unwaith eto. Estynnodd Sneipen dafod i fyny at 'i gwefus a dechrau llyfu. Glynodd llaw'r creadur i'w boch ac yna tynnodd ei hun i fyny gan ddechrau gwthio bysedd i'w ffroen arall. Dechreuodd Steff chwerthin.

'Sdim ots 'da ti bod Sneipen yn gneud hynna?' holais.

'Na, dim o gwbl. Mae'n eitha doniol.'

'Falle ddylen ni olchi'r peth bach,' awgrymodd Anni. 'Do's wbod ers faint mae hi 'di bod yn y Cetyn.'

Gafaelodd Steff yn Sneipen a'i thynnu oddi ar ei hwyneb. 'Ti ishe bath, Sneipen fach?' holodd Steff.

Gwichiodd y creadur, yna dechreuodd chwibanu a bownsio i fyny ac i lawr yn 'i llaw.

'Mae'n amlwg yn deall yn iawn,' meddwn i.

'Mae'n hoffi pobl yn siarad yn garedig â hi, siŵr o fod,' meddai Anni.

'Y stafell 'molchi amdani 'te,' meddai Steff.

Cerddodd pawb i fyny'r grisie llydan i'r stafell 'molchi, sef y stafell gynta ar ben y grisie. Stafell fach o'dd hi, a hon o'dd y stafell ddiflas gynta ro'n i wedi'i gweld yn y

tŷ. Ro'dd y teils plastig yn hongian o'r nenfwd, y tap dŵr oer yn dripian, a thop sedd y tŷ bach yn pwyso yn erbyn y wal.

'Ma ishe bach o waith addurno ar y stafell 'ma.'

Rhoddais 'y mhen o dan y tap i geisio cael gwared ag anrheg bach y gwylanod, ond dwi ddim yn siŵr a lwyddes i i gael gwared â phopeth, achos wrth i mi sefyll yno, llithrodd rhywbeth arall gwyn heibio fy llygad dde. Gan nad o'dd drych yn y stafell, fedrwn i ddim gweld beth o'dd wedi digwydd. Do'n i ddim ishe gofyn am dywel, felly do'dd dim amdani ond sefyll yno a gadael i'r cyfan sychu'n naturiol.

Pwysodd Steff i mewn i'r bath a rhoi'r plwg yn ei le. Ro'dd hi'n dal Sneipen mewn un llaw er mwyn rhwystro'r creadur rhag syrthio i mewn. Pan ddechreuodd dŵr lifo o'r tapiau, rhedodd Sneipen rownd i gefn pen Steff a dechrau crio.

'Heb weld bath o'r blaen, siŵr o fod,' meddai Anni.

'Ti'n meddwl?' holodd Pît. 'Ma 'na o leia pedwar ohonyn nhw yn y Cetyn.'

'Chi'n meddwl y dylen ni roi swigod yn y bath?' holodd Steff.

'Falle. Tria,' meddai Anni.

Arllwysodd Steff ryw hylif persawrus i mewn i'r dŵr tra bod Sneipen yn syllu ar y swigod o'r tu ôl i'w phen. Pan o'dd y bath yn chwarter llawn, rhoddodd Steff 'i phenelin yn y dŵr i weld os o'dd e'n rhy boeth. 'Fel hyn ma Anti Gwen yn neud,' meddai Steff, 'pan ma hi'n rhoi bath i'r babi newydd.'

'Dwi siŵr 'i bod hi'n falch nad hen fabi sy ganddi hi,' meddai Pît.

Ymestynnodd Steff y tu ôl i'w phen. 'Dere 'te, Sneipen. Amser bath.'

Ceisiodd Sneipen ddal gafael yn ffroenau Steff, ond llwyddodd hi i dynnu'r creadur i ffwrdd. Siaradodd yn dawel â'r creadur a'i annog i fentro i'r dŵr. Pan welodd Sneipen 'i fod e'n mynd i mewn i'r dŵr, daeth sgrech o'i geg fel sŵn chwiban rhyw athro chwaraeon. Neidiodd Steff mewn braw gan ei ollwng i mewn i'r dŵr. Ro'dd 'na sblash fawr, ac yna lot o sblasio wrth i Sneipen sgrechian a phadlo'n wyllt yn y dŵr.

'Sai'n credu 'i fod e'n hoffi dŵr,' meddwn i.

'Ti'n meddwl?' holodd Anni'n goeglyd.

Ro'n i'n disgwyl i Sneipen ddod i arfer â'r dŵr a'r swigod, ond ro'dd gan y creadur syniade eraill. Neidiodd yn syth allan o'r bath gan dasgu i fyny at y nenfwd cyn bownsio o amgylch y stafell, taro yn erbyn y walie, y llawr, y nenfwd eto, y llawr, ac yna . . .

'O na!'

Bownsiodd Sneipen i mewn i'r tŷ bach.

Fi o'dd yr agosa at y tŷ bach, felly dyma fi'n edrych i mewn. Ro'dd Sneipen mewn panig llwyr yn nŵr y tŷ bach. Daeth Pît draw i edrych.

'Dwi 'di cael digon o hyn!' meddai gan afael yn nolen fflysio'r tŷ bach.

'Na, Pît!' gwaeddodd Anni.

Chwarddodd yntau'n ddieflig a gwasgu'r ddolen. Ar hynny, dyma Anni a Steff yn rhuthro draw ac yn syllu i mewn i'r tŷ bach. Ceisiodd Steff estyn 'i llaw i mewn i geisio achub y creadur, ond ro'dd hi'n rhy hwyr. Troellodd Sneipen yn y dŵr am eiliad cyn diflannu i ble bynnag ro'dd peipen y tŷ bach yn diweddu.

Pennod Wyth

'Pît, y twpsyn twpach na thwp!' llefodd Anni.

Drwy lwc, ro'dd Pît wedi rhedeg draw at y drws. Fel arall, dwi'n siŵr y byddai Anni wedi rhedeg ar 'i ôl a'i fflysio i lawr y tŷ bach ar ôl Sneipen, heblaw . . .

'Yh-yh-yh-yh-yhwaaaaa!'

Dechreuodd Steff feichio crio. Felly, yn lle rhedeg ar ôl Pît, rhoddodd Anni'i braich amdani. Yn anffodus, drwy wneud hyn, ro'dd hi'n rhwystro Steff rhag codi'i dwylo i'w hwyneb i ddal y sneip o'dd ar fin disgyn o'i thrwyn. Ond llwyddodd Steff i droi'i phen i un ochr mewn pryd a honcio dros y teils uwchben y sinc yn hytrach na thros yr un ohonon ni.

Fi o'dd y cyntaf i weld rhywbeth yn y stwff gwyrdd wrth iddo lifo dros y teils. Edrychais yn agosach. A . . .

'*Ma* 'na lunie yn y llysnafedd!' ebychais.

'Dwi'n disgwyl ymddiheuriad,' meddai Anni. 'Ond dim ond os yw e'n ymddiheuriad-dros-ben-llestri go iawn.'

'Drychwch!' meddwn i. 'Dacw Pît!'

Edrychodd Anni. Dechreuodd chwerthin. 'Hy! Mae'n haeddu 'na.'

'Haeddu be?' holodd Pît o'r drws.

'Be sy ar fin digwydd i ti,' meddwn i. 'O jiw!'

Rhoddodd Pît 'i ddwylo dros 'i glustie. 'Dwi ddim ishe clywed!' Caeodd 'i lygaid. 'Dwi ddim ishe gweld!'

'Ro'n i dan yr argraff nad o't ti'n credu'r holl fusnes 'na am lunie'n arnofio mewn sneips,' meddai Anni.

'BE?' ebychodd Pît gan dynnu un llaw oddi ar ei glust ac agor un llygad.

'Ddwedes i mod i dan yr argraff nad o't ti'n credu'r holl fusnes 'na am lunie'n arnofio mewn sneips.'

'Dwi ddim. A dwi ddim ishe gwbod be chi'n feddwl chi newydd 'i weld.'

Aeth allan drwy drws y stafell 'molchi.

'Ble ti'n mynd?' holais.

'Adre. Yn fanno dyw bobol ddim yn honcio, a sdim byd byth yn digwydd.'

'Ti'n siŵr bod ti ishe mynd?'

'Tria'n stopio i!'

Diflannodd Pît. Neidiodd i lawr y grisie bedair gris ar y tro.

'Dwi'n meddwl falle y dylen ni weud wrtho fe,' meddwn i wrth Anni.

'Paid ti â mentro,' meddai hithau. 'Ma'r llipryn 'na'n haeddu popeth sy'n digwydd iddo fe ar ôl beth mae e newydd 'i neud.'

Trodd at Steff, a o'dd erbyn hyn yn eistedd ar ymyl y bath yn crio i mewn i'w dwylo. 'Sneipen druan, Sneipen druan,' sibrydodd wrthi'i hun.

Do'dd hi heb ddechrau glanhau'r teils. Roedden nhw'n edrych yn eitha erchyll, ond o leia ro'dd y llunie wedi diflannu erbyn hyn.

'Oes 'na ffenest sy'n edrych allan i'r stryd?' holodd Anni.

'Yn stafell Mam – ochr arall y landin.'

Rhuthrodd Anni a minnau i stafell mam Steff ac agor y ffenest. Llanwodd drewdod y lori ein trwyne. Ro'dd y lori'n dal heb symud modfedd, a'r gyrrwr wrthi'n

gwasgu un botwm ar ôl y llall yn y gobaith y byddai'r injan yn tanio. Y botwm ola iddo'i wthio o'dd yr un na ddylai fod wedi'i gyffwrdd tan iddo gyrraedd y ffatri. Ond yn wahanol iawn i bob botwm arall hyd yn hyn, ro'dd hwn *yn* gweithio. Hwn o'dd y botwm o'dd yn rheoli system wagio'r lori.

Ar unwaith, cododd cefn y lori, agorodd y fflap ôl a llifodd ton enfawr o bysgod marw allan dros bob man – rhyw eiliad ar ôl i ddrws ffrynt tŷ Steff agor ac eiliad cyn i Pît gerdded allan i'r stryd. Camodd ar ben darn o frithyll – neu falle mai darn o facrell o'dd e – a llithro din dros ben i ganol y llanast. Mewn chwinciad chwannen, ro'dd e ar 'i gefn yn ceisio nofio drwy fôr o bysgod marw drewllyd wrth i lwyth arall ddisgyn fel cawod ar 'i ben. A chydag un 'Waaa!' fawr, diflannodd Pît yn gyfan gwbwl dan y pysgod.

Tan hynny, dim ond rhyw hanner dwsin o gathod o'dd i'w gweld ar hyd a lled y stryd. Ond yr eiliad y gollyngodd y lori'i llwyth hanner tunnell o bysgod yn fynydd dros y lle, ymddangosodd rhyw gant ohonyn nhw o bob cyfeiriad. Yna, o'r dyfnderoedd yn rhywle, daeth pen Pît i'r golwg. Ro'dd 'na bysgodyn yn 'i geg. Rhedodd cath i fyny at ei wyneb a cheisio tynnu'r pysgodyn allan. A chi'n gwbod be 'nath Pît? Dal yn sownd yn y pysgodyn. Ro'dd e'n gwrthod gollwng 'i afael o gwbwl. Dechreuodd rhyw fath o ornest dynnu rhwng Pît a'r gath. O'r diwedd, sylweddolodd y twpsyn beth o'dd e'n 'i neud a gollyngodd y pysgodyn o'i geg. Syrthiodd y gath yn ôl gan ddal ei afael yn y pysgodyn. O fewn eiliadau ro'dd 'na haid o gathod yn ymladd am yr un pysgodyn, er bod 'na filiyne ohonyn nhw'n gorwedd ar y stryd.

Cododd Pît ei ben a chlywed Anni a minnau'n chwerthin. Poerodd esgyrn mân o'i geg gan syllu i fyny at y ffenest.

'Dyna'n union be welson ni yn Sneips y Dyfodol!' gwaeddais.

'Ti'n credu ni nawr?!' ebychodd Anni.

Pennod Naw

Amser brecwast fore trannoeth, penderfynodd Mam roi 'i phregeth wythnosol am faint bol dad.

Fel arfer, dyw Dad byth yn gwrando. Mae e'n agor 'i gopi o'r *Cymro Da*, sydd â'r dudalen chwaraeon orau o bob papur newydd yn y byd i gyd, medde fe, ac yn anwybyddu Mam yn llwyr.

'Mel, bob tro ti'n ishte i lawr ma dy felt di'n diflannu o dan yr holl fraster sy 'da ti rownd dy fol,' wfftiodd Mam.

'Hmm . . . ie . . . diddorol iawn,' meddai Dad gan droi i'r dudalen nesa.

'Ddylet ti ddechre cadw'n heini,'

'Ti 'rioed wedi clywed yr ymadrodd – "edrych yn nes adre"?' meddai yntau'n goeglyd.

'Fi?' holodd Mam. 'Dwi'n ffit iawn am f'oedran.'

'A pha oed wyt ti heddiw?'

'Ti'n trio dweud mod i mas o siâp?'

'Nac ydw, siŵr,' meddai Dad.

'Ti'n gallu bod yn gas iawn weithie,' meddai Mam.

'A dwyt *ti* ddim?'

'Do'n i ddim yn *trio* bod yn gas. Jyst yn dweud y ffeithie.'

'Reit,' meddai Dad. 'Dw *i*'n addo peidio sôn am dy siâp *di* os wnei *di* addo peidio sôn am fy siâp *i*.'

'*Dy siâp di!*' wfftiodd Mam.

'Felly dwi'n dew? Ife dyna be ti'n trio'i weud?'

'Fydden i fyth mor a gas â hynny. Nid 'y mai i yw'r ffaith mod i'n meddwl amdanat ti bob tro y bydd rhywun yn sôn am dwb o saim!'

'Reit! 'Na fe!' ebychodd Dad, gan daflu'i bapur ar y llawr. ''Na'r tro diwetha gei di neud hwyl am 'y mhen i!'

'O na!' meddai Mam eto. 'Be dwi'n mynd i neud am hwyl o hyn mla'n?'

Deng munud yn ddiweddarach, wrth i mi gerdded allan o'r stafell 'molchi, dyma fi'n gweld Dad yn edmygu'i hun yn y drych. Do'dd e ddim yn gwisgo crys ac ro'dd e'n arbrofi i weld sut o'dd siâp 'i gorff yn newid gyda disgyrchiant ac yna'n sugno'i stumog i mewn nes bod 'i frest i fyny wrth 'i glustiau.

'Ti'n meddwl mod i'n dew, Jig?' gofynnodd.

'Esgusoda fi,' meddwn i. 'Sai'n gallu pasio heibo ti.'

Mae'n go wael os mai'r peth mwya diddorol y gall unrhyw un 'i ddweud am yr ysgol yw'r ffaith fod y peintwyr wrthi'n adnewyddu'r lle. Ond dyna fel o'dd hi'r wythnos hon. Dechreuon nhw adeg hanner tymor ac roedden nhw'n dal wrthi. Cawsom gyfarwyddyd gan yr athrawon i gadw allan o'u ffordd ac i beidio sefyllian o gwmpas yn syllu arnyn nhw. Pan gyrhaeddon ni stafell Mr Hurley ar gyfer ein gwers Hanes, ro'dd 'na ddau o'r peintwyr yn sefyll ar sgaffaldiau y tu allan.

Ma gan athrawon obsesiwn â phethe sy ddim yn bodoli bellach. Ma'n nhw'n byw yn y gorffennol ac yn disgwyl i ni fyw yno hefyd. Dyw Hanes ddim yn bwnc gwefreiddiol o bell ffordd, ond ma gwersi Mr Hurley yn annioddefol. Dwi'n treulio'r rhan fwyaf o'i wersi'n syllu ar y cloc gan feddwl, 'Pam ma'r bysedd 'na'n symud mor

araf? Ydy'r batri 'di mynd ar streic?' Chi'n gweld, ma Mr Hurley 'i hun yn berson diflas. Diflas iawn. Mae'n edrych yn ddiflas, mae'n swnio'n ddiflas ac ma popeth mae'n ei ddweud yn ddiflas. Fe yw Mr Diflas-Diflas, Syr Diflas. Yr Arglwydd Diflas o Aberdiflas. Mae'n corddi mla'n a mla'n am ddim byd – wel dim byd o bwys i rywun fel fi – ac wedyn mae'n sgrifennu'r cwbwl ar y bwrdd gwyn a gweud wrthon ni am 'i gopïo i'n llyfrau neu sgrifennu traethawd am y peth, neu i ofyn cwestiyne. Sneb yn gofyn cwestiyne – fel arfer achos sneb 'di bod yn gwrando. Dim ond unwaith mae e 'di llwyddo i hoelio'n sylw ni erio'd, ac ro'dd hynny *oherwydd* nad oedden ni'n talu sylw o gwbwl. Dyna lle roedden ni i gyd yn synfyfyrio pan wedodd e rwbeth a barodd i bymtheg pâr o lygaid neidio i fyny.

'Be wedodd e?' sibrydais wrth Pît.

'Rhyfeloedd Pwbig,' sibrydodd Pît yn ôl.

Edrychais o amgylch y dosbarth. Ro'dd hanner y dosbarth – yr hanner gwrywaidd (neu fachgennaidd – sneb yn y dosbarth yn ddigon aeddfed i gael 'u hystyried yn wryw) yn gwrando'n astud am y tro cynta yn 'u bywyde. Ro'dd pawb yn gwrando – yn gwrando o ddifri – ar yr hyn o'dd gan Mr Hurley i'w ddweud.

'Beth yw Rhyfel Pwbig, Jig?' holodd Idiot Atkins dros f'ysgwydd.

'Pam na wnei di gau dy geg – falle wedyn y cawn ni glywed,' atebais.

'Falle dynnith e lun ar y bwrdd gwyn,' meddai Idiot yn obeithiol.

Funud neu ddwy'n ddiweddarach sylweddolodd pawb nad Pwbig o'dd y gair glywon ni, ond yn hytrach Pwnig,

sef rhywbeth *cwbl* wahanol. Ar ôl hynny, syrthiodd pawb yn ôl i gysgu er mwyn sicrhau nad oedden ni'n dysgu beth o'dd y Rhyfeloedd Pwnig.

Heddiw o'dd gwers Hanes gynta Steff Honc gyda Mr Hurley. Daeth yn amlwg yn ystod y wers 'i fod e'n awyddus i ddangos iddi 'i fod e'n ffigur o awdurdod, achos ar ôl rhyw bum munud o'r wers cerddodd draw at 'i desg, lle ro'dd Steff yn sniff-sniff-sniffian yn ddi-stop.

'Steffani, ife?' holodd Mr Hurley.

'Ie, syr.'

'Wel, Steffani, oes unrhyw un wedi esbonio 'i bod hi yn erbyn y rheolau i wisgo unrhyw emwaith yn yr ysgol?'

'Dwi ddim yn siŵr, syr.'

'Wel mae e. Ac mae mwclis yn fath o emwaith.'

Cododd Steff 'i llaw at y plisgyn o amgylch 'i gwddw.

'Nid mwclis yw hwn, syr. Mam-gu o'dd yn berchen arno fe. Mae e i fod i ddod â lwc dda.'

'Lwc neu beidio, Steffani, mae'r rheolau'n glir. Felly, dwi ishe i chi dynnu'r mwclis nawr.'

Do'dd Steff ddim y math o berson o'dd yn dadle gyda rhywun mor bwysig â Mr Hurley. Tynnodd y plisgyn dros 'i phen a'i roi yn llaw'r athro. Dywedodd yntau wrthi y câi hi gasglu'r plisgyn ar ddiwedd y wers, dim ond iddi addo peidio gwisgo'r peth i'r ysgol eto. Ochneidiodd Steff yn drist. Ro'dd hi'n ddigon isel 'i hysbryd yn barod. Ro'dd hi'n hiraethu am Sneipen ac yn gwrthod hyd yn oed *edrych* ar Pît, y fflyshwr cas.

Ro'dd Mr Hurley'n amlwg yn hoffi'r plisgyn oherwydd pan gyrhaeddodd yn ôl at ei ddesg dechreuodd chwarae

ag e rhwng 'i ddwylo yn hytrach na'i roi yn 'i ddrâr. Parhaodd i chwarae â'r plisgyn wrth iddo ddechrau sgrifennu pethe diddorol am golofne Dorig, beth bynnag yw'r rheini, ar y bwrdd gwyn.

Ro'dd Mr Hurley wedi bod yn rwdlan am bymtheg munud a hanner am y pethe 'ma cyn iddo gael sgwrs fach arall gyda Steff Honc. Dwi'n gwbod mai pymtheg munud a hanner o'dd wedi mynd heibio, oherwydd ro'n i wedi trio amseru Mr Hurley i weld a fyddai'r wers rywfaint yn fwy diddorol wrth wneud hynny. Yn anffodus, do'dd hi ddim, ond o leia ro'n i 'di llwyddo i beidio gorfod gwrando ar barablu'r athro. Ro'dd pawb arall yn esgus sgrifennu'r hyn ro'dd Mr Hurley'n 'i sgrifennu, er mai dwdlo neu sgrifennu negeseuon at 'i gilydd oedden nhw mewn gwirionedd. Ond wnaeth yr athro ddim sylwi bod y dosbarth wedi marw o ddiflastod llwyr. Dyw e byth yn sylwi. Mae e'n gallu gweld mwclis o ben arall y stafell, ond os oes unrhyw un yn dechrau llewygu o ddiflastod, dyw e'n gweld dim!

Ond heddiw ro'dd rhywbeth arall wedi dal 'i sylw. Stopiodd sgrifennu. Stopiodd chwarae â'r mwclis. Trodd at y dosbarth. Sylwais fod 'i drwyn yn rhedeg.

'Beth yw'r drewdod 'na?' holodd Mr Hurley.

'Pa ddrewdod, syyyyr?' holodd criw o leisiau.

'Y drewdod ofnadwy 'na,' snapiodd.

'PA DDREWDOD, SYYYR???' holodd y criw o leisie'n uwch.

Ond ro'dd rhai ohonon ni, y rhai o'dd agosa at y ffenest, wedi arogli'r drewdod. Ma drewdod yn beth cyffredin yn ein dosbarthiade ni. Fel arfer ry'n ni'n trio beio rhywun am 'i achosi, ond ro'dd y drewdod yma'n

ddeg gwaith gwaeth nag unrhyw ddrewdod o'dd wedi dod o'r dosbarth o'r blaen. Ro'dd e'n drewi fel carthffos. Nid mod i erioed wedi bod yn agos at unrhyw garthffos, i chi gael deall.

'Agorwch ffenest!' gwaeddodd Mr Hurley.

Ro'dd un neu ddwy o'r ffenestri ar agor led y pen yn barod. Ond ro'dd ganddon ni esgus nawr i neidio i fyny ar y desgiau ac agor holl ffenestri'r stafell, yna'u cau, a'u hagor, a'u cau eto, cyn agor y ffenestri allan hyd yr eithaf nes 'u bod nhw ar fin syrthio oddi ar 'u colfachau.

'*Byddwch dawel!!!*'

Eisteddodd pawb i lawr heb ddweud gair.

'Nawr 'te, ble ro'n i?' snwffiodd Mr Hurley gan droi at y bwrdd gwyn.

'Ar fin dweud ein bod ni'n cael mynd adre'n gynnar,' meddai Bryan Ryan.

'Diolch, Ryan. Ie . . .'

Ysgrifennodd rhyw eirie eraill ar y bwrdd gwyn. Ro'dd yn amlwg fod ganddo lawer iawn i'w ddweud am Golofnau Dorig. Ond o weld y diffyg diddordeb ar wynebau pawb arall yn y dosbarth, ro'dd hi'n amlwg mai Mr Hurley fyddai'r unig un erbyn diwedd y wers fyddai'n gwybod os mai wedi 'u gwneud *o* Ddorig, *yn* Dorig, *gan* Dorig neu *ar gyfer* Dorig ro'dd y colofnau. Cofiwch chi, ro'dd hi'n gysur gwybod mai pethau o'dd yn dal rhyw hen adeilad i fyny o'dd y pwnc mwyaf arwyddocaol i'w drafod ers dechrau amser. Dwi mor falch ein bod ni'n dysgu am bethau pwysig mewn hanes.

Yn raddol, er gwaetha'r pethau anhygoel o'dd yn cael 'u sgrifennu ar y bwrdd gwyn, sylwodd Mr Hurley fod

y drewdod yn dal i lenwi'r aer. A dweud y gwir, ro'dd e ddeuddeg a thri chwarter gwaith yn waeth na chynt.

'O ble ma'r drewdod yn dod?' snwffiodd Mr Hurley, gan siglo plisgyn Steff yn 'i law.

'O'r tu allan, syr!' meddai Idiot Atkins.

'Wel, well i ni gau'r ffene–' Stopiodd gan sylweddoli beth fyddai hynny'n 'i olygu. 'A dweud y gwir, dwi'n meddwl y byddai'n well i *mi* 'u cau nhw.'

Dechreuodd ymestyn dros ambell ddesg i gau'r ffenestri un ar ôl y llall. Ro'dd y drewdod yn gwaethygu bob munud, a phob tro ro'dd Mr Hurley'n estyn i fyny, ro'dd pawb yn gweld pen-ôl sgleiniog 'i drowsus. Penderfynodd pawb yn syth mai dyma darddiad y drewdod. Gallai glywed pawb yn chwerthin.

'Pam 'ych chi'n chwerthin?' holodd yn flin dros 'i ysgwydd, wrth i ddau linyn gwrdd swingio o'i drwyn a glanio ar gefn 'i siaced. Trodd y piffian yn chwerthin uchel drwy'r dosbarth. 'PAM 'YCH CHI'N CHWERTHIN?' rhuodd Mr Hurley.

'Mae'n Ddiwrnod Chwerthin Cenedlaethol heddiw, syr,' meddai llais o rywle.

'Celwydd noeth, Jenkins. Nawr 'te, byddwch yn dawel, bob un ohonoch chi!'

'Chi ishe hances, syr?' holodd rhywun arall.

'Byddwch *dawel*!'

Edrychodd Mr Hurley at y ffenest . . . a gweld rhywbeth yn syllu 'nôl arno.

'Sneipen!' ebychodd Steff.

A dyna lle ro'dd y creadur, yn ishte ar sil y ffenest, yn llygadu'r llysnafedd o'dd yr hongian o drwyn Mr Hurley. A Sneipen o'dd wedi dod â'r drewdod i gyd o berfeddion

y system garthffosiaeth. Camodd Mr Hurley yn ôl a'i lygaid fel soseri. Neidiodd Sneipen i mewn.

'Dere 'ma, Sneipen,' meddai Steff.

Anwybyddodd y creadur hi. Neidiodd heibio i Steff, adlamu oddi ar ddesg, a glanio ar wyneb Mr Hurley. Gwaeddodd hwnnw wrth i Sneipen ddechrau gwledda ar y stwff gwyrdd o'i drwyn. Syrthiodd plisgyn Steff i'r llawr wrth i Mr Hurley geisio rhwygo'r creadur oddi ar 'i wyneb. Dwi'n siŵr na fydd hi'n fawr o syndod i chi glywed hyn, ond ro'dd y stafell a phawb ynddi bellach wedi mynd yn hollol boncyrs.

Er bod Sneipen wedi llowcio popeth oddi ar wyneb Mr Hurley, ro'dd hi'n amlwg nad o'dd hyn yn ddigon iddo. O fewn eiliadau, dechreuodd redeg 'i fysedd bach pitw o amgylch ymylon ffroenau blewog Mr Hurley, er mwyn sicrhau 'i fod yn cael pob diferyn blasus.

Rhedodd yr athro o amgylch y dosbarth yn wyllt wrth i'w drwyn gael 'i odro, ond daeth i stop pan neidiodd Sneipen o'i wyneb at y plisgyn o'dd ar 'i ddesg. Yr eiliad y glaniodd y creadur arno, caeodd 'i lygaid a dechre chwyrnu'n hapus. Sylwodd e ddim ar yr holl sŵn a chyffro o'i amgylch, na gweld y plant yn closio i gael gwell golwg.

Ro'dd hi'n amlwg nad o'dd Mr Hurley'n siŵr pa emosiwn i'w deimlo. Syndod? Ofn? Dicter? Yn y diwedd penderfynodd mai dicter o'dd yr emosiwn mwyaf addas dan yr amgylchiadau. Cydiodd mewn ffon fesur fetal a cherddded tuag at 'i ddesg. Gwelodd Steff hyn a rhedeg i achub Sneipen. Ro'dd hi newydd gymryd pedwar cam pan saethodd pen Mr Hurley yn ôl a daeth honc fyddarol yn sydyn o'i drwyn. Sblasiodd mwy o hylif trwynol nag

sy'n fiolegol bosib o drwyn Mr Hurley gan dasgu dros y bwrdd gwyn a lledu drosto i gyd. Dechreuodd y stwff ddiferu i lawr wrth i ddisgyrchiant wneud 'i waith, gan glirio'r holl wybodaeth hynod ddiddorol am golofnau Dorig oddi ar y bwrdd gwyn.

Ar hynny, agorodd Sneipen 'i lygaid. Wedi'r cwbwl, ro'dd 'na bryd rhad ac am ddim newydd ymddangos. Neidiodd oddi ar y plisgyn, glanio ar y bwrdd gwyn a dechrau llyfu cyn i'r cyfan ddechre sychu'n galed. Ro'dd pawb arall yn rhy brysur yn ceisio gwadu be roedden nhw'n 'i weld felly, falle mai fi o'dd yr unig un welodd y lluniau'n symud yng nghanol y sneips cyn i Sneipen 'u llyfu i ffwrdd.

'O na!' meddwn i. Taswn i wedi gweld llun wyneb unrhyw un arall yn y sneips, dwi'n siŵr y baswn i wedi'i rybuddio i beidio gadael y stafell. Ond gan mai llun Mr Hurley weles i, dyma fi'n penderfynu dweud dim.

A ta beth, ro'dd e hanner ffordd mas drwy'r drws yn barod.

CRRRAAASSSH!!!

Rhuthrodd pawb dros 'i gilydd i weld beth o'dd wedi digwydd yn y coridor. Penderfynais i aros wrth 'y nesg. Do'dd dim ishe i fi weld beth o'dd wedi digwydd. Ro'n i eisoes wedi gweld Mr Hurley'n baglu dros un o ysgolion y peintwyr. Ro'n i hefyd wedi gweld tun enfawr o baent yn syrthio oddi ar y planc wrth i'r athro gyrraedd y llawr, gan 'i droi i mewn i'r unig athro hanes yn y byd i gyd. Biti nad o'dd camera fideo gen i wrth law!

Pennod Deg

Cododd Steff y plisgyn a'i osod o amgylch 'i gwddw. Ro'dd Sneipen wedi gorffen bwyta ac yn amlwg yn falch o weld Steff. Ro'dd hithau'n edrych yn falch o weld Sneipen hefyd, er bod y creadur yn edrych yn eitha afiach, ac yn drewi'n waeth fyth. Stwffiodd Steff y peth bach i mewn i got o'dd yn hongian dros gadair – un yn perthyn i Ryan, fy newis i – ac i ffwrdd â hi ac Anni i gyfeiriad tai bach y merched.

'Do'dd e ddim yn *or*-hoff o'r bath diwetha gafodd e,' meddwn i wrth Steff.

'Dwi'n siŵr y gallen ni jest 'i sychu e 'da clwtyn y tro 'ma,' awgrymodd Steff.

Sleifiodd Anni a Steff i mewn i'r tŷ bach. Penderfynodd Pît a minnau aros y tu allan. Ond ddim yn rhy agos. Er i ambell ddisgybl ac athro gerdded heibio, ofynnodd neb i ni pam oedden ni'n sefyll yno, diolch byth.

Ar ôl rhyw bum munud daeth Anni a Steff allan, yn cario Sneipen wedi'i lapio'n dynn yn hances Steff. Syllai un llygad sneipllyd o ddyfnderoedd yr hances.

'Aeth popeth yn iawn y tro 'ma?' holais.

'Do. Dim problem,' atebodd Anni. 'Sychodd Steff Sneipen tra mod i'n dal y creadur. Ro'dd e'n amlwg yn mwynhau'r profiad gan 'i fod yn mwmian yn hapus.'

'Ble ma cot Ryan?'

'Ar fachyn tu ôl i'r drws. Ti'n meddwl y dylen ni 'i rhoi hi 'nôl i Ryan?'

'Na ddylen, siŵr.' Dwi ddim yn or-hoff o Bry-Ry.

Ro'dd y gloch wedi canu rywbryd yn y cyfnod rhwng damwain Mr Hurley a golchi Sneipen, ond cyn i ni fynd allan i'r cae chwarae aethon ni 'nôl i'r dosbarth i gasglu'n pethe. Ro'dd Ryan yno, yn edrych yn ddryslyd.

'Oes rhywun wedi gweld fy nghot i?'

'Na.'

'Na.'

'Na.'

'Pa got?'

Ymhen rhai orie, byddai rhywun yn dod o hyd i got ddrewllyd Ryan yn nhŷ bach y merched. Yn fuan wedi'r darganfyddiad hwnnw, byddai si fach eitha amheus yn dechrau am Ryan. Ro'n i'n edrych mla'n at helpu i ledaenu'r si honno.

Aethon ni'n syth i'r Ardd Goncrit i drafod beth o'dd newydd ddigwydd. 'Y peth rhyfedd yw,' meddai Steff, 'stopiodd y sniffian tra o'n i yn y dosbarth, ond fe ddechreuodd 'to pan aethon ni i dai bach y merched. Ac mae'n mynd yn waeth.'

Wrth i ni ishte lawr – y merched ar un fainc, a ni, fechgyn, ar y llall – agorodd Steff 'i hances. Yn syth bìn, neidiodd Sneipen i'r plisgyn o amgylch gwddw Steff.

'Ti'n gwisgo'r plisgyn 'na i'r gwely?'

'Na'dw,' atebodd Steff. 'Mae'n rhy fawr. Pam?'

'Ti'n honcian yn y nos? Ac ydy dy drwyn di'n rhedeg?'

'Sai'n meddwl, ond sai'n gwbod. Dwi'n rhy fishi'n cysgu.'

'Ydy dy glustog di'n sneipllyd yn y bore?'

'Na . . . sai'n meddwl.'

Lledodd llygaid Steff. Ymddangosodd swigen o'i thrwyn ac fe fyddai wedi bostio ohoni'i hun siŵr o fod, heblaw fod Sneipen wedi cyrraedd ati gynta.

'Ti'n meddwl . . ?'

'Be am i ni ystyried y dystiolaeth,' meddai Anni, fel petai'n rhyw fath o fargyfreithwraig yn esbonio rhywbeth i'r rheithgor. 'Dwyt ti ddim yn sniffian yn y nos ar ôl i ti dynnu'r plisgyn i ffwrdd, a doeddet ti ddim yn sniffian pan gymerodd Mr Hurley'r plisgyn oddi arnat ti chwaith. Dechreuodd Mr Hurley sniffian yr eiliad y daeth y plisgyn i'w feddiant, a phan osododd e'r plisgyn ar 'i ddesg, be ddigwyddodd?'

'Fe honciodd Mr Hurley,' atebodd Steff.

'Yn gwmws. A phan neidiodd Sneipen i mewn i'r dosbarth, aeth yn syth at Mr Hurley ac nid atat ti. Pam? Achos bod trwyn Mr Hurley'n rhedeg.'

'Ond os yw hynny'n wir . . .'

'Mae'n golygu mai'r plisgyn sy'n achosi'r honcio a'r sniffio, nid unrhyw alergedd neu safon yr aer. Y plisgyn. Ac mae'n cael yr un effaith ar unrhyw un sy'n 'i wisgo, yn 'i gyffwrdd, a hyd yn oed yn sefyll wrth 'i ymyl. Yn gynta, mae'r trwyn yn dechrau llifo ac yna ma'n nhw'n honcio.'

'Wel, wel . . .' ebychodd Steff.

'Dyna pam ro'dd dy fam-gu ond yn honcio pan o'dd hi'n gweithio. Dyna'r unig bryd ro'dd hi'n gwisgo'r plisgyn.'

'Be am y llunie yn y sneips?' holais.

'Falle'u bod nhw'n rhan o'r alergedd,' awgrymodd Anni.

'Ond ddwedest ti *nad* alergedd o'dd e,' meddai Steff.

'Falle nad alergedd yw'r gair cywir. Ond beth bynnag yw e, mae'n achosi rhyw fath o adwaith yn y person sy'n honcio.'

'Felly do'dd Mam-gu ddim yn medru darogan dim,' meddwn i.

'O,' meddai Steff yn siomedig. 'Wrth gwrs, y plisgyn . . .'

'Oes gen ti unrhyw syniad ble cafodd dy fam-gu y plisgyn?' holodd Pît. Dyma'r tro cynta iddo siarad ers i ni ishte i lawr.

Ysgydwodd Steff 'i phen. 'O rywle lleol, siŵr o fod. Pan symudodd hi i'r ardal hon – dyna pryd ddechreuodd hi dweud ffortiwn pobl, medde Mam.'

'Sdim ots o ble daeth y plisgyn,' meddwn i. 'Y peth pwysig yw, ry'n ni nawr yn gwbod be sy'n achosi'r sniffian a'r snocnio, a'r ffordd symla o'i stopio yw i beidio â gwisgo'r plisgyn.'

'A beth am Sneipen?'

'*Beth am* Sneipen?'

'Wel, os nad ydw i'n gwisgo'r plisgyn, fydd 'na ddim sneips a bydd Sneipen yn mynd i ffwrdd. A dwi ddim ishe i'r peth bach adael. Dwi'n 'i garu e.'

'O, 'na neis,' meddai Anni'n annwyl.

'Dwi'n siŵr y bydde rhywun yn gallu troi'r stori na'n sioe gerdd,' meddai Pît.

'Joseff a'i Snot Amryliw!'

Yna, digwyddodd rhwbeth sy fel arfer ond yn digwydd mewn ffilmie. Ro'dd yr amseru'n berffeth, a'r anelu hyd yn oed yn well. Ro'dd Pît yn ishte â'i fag ar 'i benglinie. Yn sydyn, sgrechiodd Steff gan drio tynnu'i

hances o'i llawes. Yn anffodus, do'dd hi ddim yn ddigon cyflym. Honciodd Steff yn uchel dros . . .

'Fy mag i!' ebychodd Pît.

Taflodd y bag i'r llawr. Dechreuodd Steff ymddiheuro, ond daeth hynny i stop pan neidiodd Sneipen ar 'i hwyneb a dechrau llyfu. Edrychais ar y bag i weld os o'dd 'na luniau'n symud. Ac ro'dd 'na lunie. Ro'n *i yn* y llunie. Ro'dd Pît yno hefyd, ac ro'dd e'n gneud rhwbeth eitha erchyll.

Neidiais i fyny. Yn sydyn ro'dd fy nhraed ishe dawnsio. Ond nid dawns hapus o'dd hi – ro'dd hi'n debycach i ddawns fach syml oddi ar ochr clogwyn serth.

'Beth yw'r broblem?' holodd Anni.

'Pît yw'r broblem,' atebais gan fwrw hwnnw'n galed. Syrthiodd oddi ar y fainc.

'Pam wnest ti hynna?'

O gornel fy llygad gwelais Sneipen yn neidio ar 'i fag a dechrau llyfu.

'Oherwydd dwi'n gwybod be fyddet ti'n neud i mi petait ti'n cael hanner cyfle,' meddwn.

'Am be wyt ti'n sôn?'

'Paid â phoeni. Ond paid â meddwl nad ydw i'n gwbod be ti'n feddwl.'

'Meddwl?'

'Cadw bant 'wrtha i, Garret. Paid â dod yn agos. Ti'n deall?'

'Ti'n wallgo?' ebychodd Pît gan godi'i fag. Syrthiodd Sneipen oddi arno a neidio 'nôl at Steff. Daliodd Pît 'i fag led braich i ffwrdd.

Ro'dd Anni'n amlwg yn sylweddoli bod 'na rwbeth o'i le.

Gofynnodd i mi beth o'n i wedi'i weld yn Sneips y Dyfodol.

'Dyw hynny ddim o bwys i unrhyw un arall heblaw amdana i,' meddwn i.

'Pam?'

'Yn syml, os wnaiff Pît glywed, bydd e'n gneud be weles i e'n neud yn Sneips y Dyfodol, ac os bydd e dwi'n mynd i orfod 'i gwrso fe â rhywbeth mawr, fel tanc, a'i wasgu e'n fflat.'

Pennod Un Deg Un

Ro'dd hi bron yn amser swper yng Ngwynt Isa. Enw ein tŷ ni yw Gwynt Isa. Pam Gwynt Isa? Dwi ddim ishe trafod y peth. Er 'i bod hi'n amser swper do'dd dim golwg o unrhyw fwyd. Y gwir yw, ro'dd swper yn hwyr. Do'n i heb fwyta dim ers o leia awr, ac ro'dd 'y mola'n dechre protestio. Ro'dd Dad a minnau yn y stafell fyw yn aros am waedd o'r gegin. Ro'n i ar 'y mhen-glinie wrth y bwrdd coffi'n gweithio ar *Capten Abersoch, Archdwpsyn*, ac ro'dd Dad yn ishte ar 'i ben-ôl yn syllu ar y teledu. Do'dd y teledu ddim yn gweithio, ond do'dd hynny ddim fel petai'n poeni Dad yn ormodol. Do'dd neb yn gallu dod i drwsio'r teledu tan bore fory. Do'dd hynny ddim yn broblem, ond byddai'n rhaid i'r teledu fod yn gweithio erbyn pnawn fory gan 'i bod yn ddydd Sadwrn. Ac fel ma pawb yn gwbod, ma pnawn dydd Sadwrn yn golygu pêl-droed. Ac ma Dad yn ddwl am bêl-droed!

'Jig,' meddai Dad. 'Ti'n meddwl y dylen i golli pwyse? Dwed y gwir, nawr.'

'Sai'n gwbod, Dad,' atebais, 'ond un peth dwi *yn* 'i wbod yw – os na ddaw Mam â bwyd cyn bo hir, *fi* fydd yr un fydd yn colli pwyse.'

Pan glywais Mam yn mynd i'r tŷ bach, dyma fi'n tasgu i'r gegin i chwilio am y jar o bast siocled o'dd wedi'i guddio y tu ôl i'r powdr garlleg a'r perlysie sych rhag i mi ddod o hyd iddo. Ro'n i newydd roi 'y mys yng nghanol y siocled meddal hyfryd pan glywais lais yn dweud:

'Ha!'

'Beeee?' sgrechiais gan neidio i fyny.

Mam o'dd perchen y llais. Do'dd hi heb fynd i'r tŷ bach. Yn hytrach ro'dd hi'n cuddio tu ôl i ddrws y gegin er mwyn ysbïo arna i'n trio rhwystro fy hun rhag marw o newyn. Ma rhieni'n gallu bod *mor* slei.

'Ro'n i'n meddwl mod i 'di gweud wrthot ti am beidio gneud 'na,' meddai Mam.

'Na . . . sôn am jam wnest ti,' meddwn i.

'Y rheol o nawr mlaen yw . . . unrhyw jar â chaead arni. Deall? Fyddi di ddim ishe bwyd ar ôl bwyta hwnna!'

'Ddim ishe bwyd? Os na cha i rywbeth i'w fwyta o fewn yr eiliadau nesa, ma 'na beryg y bydd fy chwant bwyd i'n hel 'i bac ac yn ymfudo i Awstralia.'

Tynnodd Mam y jar o 'nwylo a chau caead y jar mor dynn fel na fyddai neb yn medru'i hagor hi fyth eto.

'Ma gen i ddosbarth nos heno,' meddai Mam.

'Cymer dy amser . . . sdim brys i ti ddod 'nôl,' ychwanegais.

'Ro'n i'n trio gwneud rhywbeth cyflym, felly fe benderfynes i neud pastai, ond yn anffodus ma hi wedi cymryd mwy o amser nag o'n i'n ddisgwyl. Deugain munud wedodd y cyfarwyddiade. Ond mae'n dal heb goginio'n iawn ar ôl awr!'

'Pa fath o bastai yw hi?'

Cuddiodd Mam y jar past siocled mewn rhan arall o'r gegin, fel petawn i ddim yno. 'Sai'n gwbod . . . edrych yn y bin.'

'Ti'n coginio'r pastai yn y bin?'

Edrychais yn y bin. Yn ôl y cyfarwyddiade – o'dd

wedi'u sgrifennu mewn Ffrangeg, Almaeneg, Urdu a Rwtsh, dylai Dad a minne fod yn bwyta pastai cig eidion a madarch.

'Jigi, ma ishe halen arna i,' meddai Mam. 'Cer draw at Audrey i nôl peth, 'nei di? Dwi 'di holi eisoes. Ro'n i'n bwriadu mynd . . . ond ti'n gwbod fel ma hi, fydden i byth yn llwyddo i ddianc.'

'Sai'n defnyddio halen,' meddwn. 'A dwyt ti ddim chwaith.'

'I dy dad mae e. Ti'n gwbod nad yw e'n gallu byta unrhyw beth heb halen. Dim ond cwyno wnaiff e os na fydd halen ar bob cegaid o fwyd. Bydd y stwff 'na'n 'i ladd e, yn y pen draw. Jest dos, 'nei di?'

'Dwi ddim ishe mynd draw fan'na.'

Gwgodd Mam. Ro'n i'n gallu gweud yn union beth o'dd yn mynd drwy'i meddwl: CER DRAW YR EILIAD 'MA, NEU DWI'N MYND I BWDU AM WYTHNOS GYFAN! Dwi'n siŵr y byddai rhai ohonoch chi'n croesawu cael mam fud, ond do's neb yn gallu pwdu cystal â Mam. Gall 'i phwdu hi achosi i dymheredd y tŷ ddisgyn. Ac ma pobman yn mynd yn dawel fel y bedd. Mae fel petai rhyw fath o dristwch anferth yn sugno'r hwyl allan o'r tŷ i gyd.

'Pam na cha i fynd drws nesa, at Janet, yn lle hynny?'

'Dim ond halen cyffredin fydd gan Janet – ma Audrey'n defnyddio halen môr, yr un fath â ni.'

'Fydd Dad ddim yn gwbod y gwahaniaeth.'

'Nid 'na'r pwynt. Nawr, cer.'

'Pam na all Audrey'n ddod â'r halen draw aton ni?'

'Am mai ni sydd ishe'r halen.'

'Dyw hi'n fawr o ffrind os nad yw hi'n fodlon

dod â 'chydig bach o halen draw er mwyn i ti allu lladd Dad.'

'Jigi!'

'Dwi ishe ffonio rhywun gynta!'

'Hy! Bob tro dwi'n gofyn i ti neud rhwbeth . . .'

Cerddais allan o'r gegin a chodi'r ffôn yn y cyntedd. Cerddais i mewn i'r stafell fach lle dylai Mam fod y funud hon â'i nicers rownd 'i phigyrne, yn hytrach na bod yn neidio allan o'r tu ôl i ddryse'n galw am halen. Gwasgais fotyme'r ffôn a'i godi at 'y nghlust. Arhosais. Siaradais.

'Anni. Fi sy 'ma. Dwi'n dod draw i 'nôl halen.'

'Dwi'n gwbod,' meddai Anni. 'Ma'r hanes ar dudalen flaen bob papur newydd.'

'Ydy Pît 'na?'

'Pam wyt ti ishe Pît?'

'Dwi ddim. Dyna pam dwi'n ffonio. Dwi ishe i ti 'i gloi e yn rhywle a thaflu'r allwedd i ffwrdd nes mod i 'di mynd a dod.'

'Dwi'n meddwl 'i fod e 'di mynd mas,' eglurodd Anni.

'Ardderchog. Fydda i draw mewn eiliad 'te. Dwed wrth dy fam am gael yr halen yn barod. Dwi ddim ishe treulio gormod o amser yn eich tŷ chi rhag ofn i Pît ddod 'nôl.'

Rhedais draw i gartre'r Mint-Garratiaid mewn llai na munud a chanu'r gloch blastig ar y drws. Tra o'n i'n aros i'r drws agor, edrychais i fyny at ffenest Pît. Falle'i fod e 'di mynd mas, ond ro'dd 'i ffenest yn 'y ngneud i'n nerfus. Gwasgais fotwm y gloch unwaith eto. Ddaeth neb at y drws ond ro'dd 'na rwbeth yn symud yn y gegin i'r chwith. Gwelais Audrey Mint yn syllu drwy'r ffenest.

'Sneb wedi ateb y drws?' gwaeddodd drwy'r gwydr.

'O's, wrth gwrs!' gwaeddais yn ôl. 'Dyna pam dwi'n sefyll ar y stepen!'

'Fe â i i nôl yr halen!' gwaeddodd.

'Ardderchog!' gwaeddais innau.

Wrth i Audrey droi tua'r gegin clywais sŵn ffenest yn agor. Edrychais i fyny. Ffenest Pît. Yna, gwelais wefus bwced binc yn ymddangos dros sil y ffenest. A dŵr yn tasgu o'r bwced. Sblash! Teimlais y dŵr. Llond bwced o ddŵr. Edrychais i fyny a gweld gwên fawr lydan yn syllu o'r ffenest.

'Helô, Jig.'

'Wedodd Anni bo' ti 'di mynd mas,' meddwn i.

'Wel, ro'dd Anni'n anghywir.'

'Dwi'n socian. O 'nghorun i'm sawdl.'

'Dyna be ti'n 'i ga'l am 'y mwrw i.'

'Fe wnes i dy fwrw di achos mod i'n gwbod y byddet ti'n gneud hyn i fi.'

'Ti wir yn disgw'l i fi gredu dy fod ti 'di gweld hyn yn Sneips y Dyfodol?'

'Mae'n wir.'

Caeodd y ffenest gan chwerthin. Agorwyd drws y ffrynt. Syllodd Anni arna i.

'Ti'n wlyb socian,' meddai.

'Ydw,' meddwn i. 'Ti'n mynd i esbonio pam gymerodd hi gymaint o amser i ti ateb y drws?'

'Ffoniodd Steff â mwy o newyddion am Sneipen.'

'Pa newyddion?'

'Wel, yn ôl Steff, ma Sneipen yn hoffi'i stafell wely. Jig, pam wyt ti'n wlyb?'

'Am fod yr wybodaeth roist ti i fi am Pît yn anghywir.'

Edrychodd Anni i fyny at ffenest Pît.

'Busnes Sneips y Dyfodol?'

Do'dd dim ishe i fi ateb.

Daeth Audrey â llond bowlen o halen o'r gegin.

'Mae e'n fân,' meddai Audrey.

'Be sy'n fân?' holais

'Yr halen. Wedi'i falu. Jigi. Ti'n wlyb domen.'

'Mae e'n gwbod,' meddai Anni.

'Pam? Be ddigwyddodd?'

'Cawod sydyn,' meddwn gan gymryd yr halen a llusgo 'nghorff gwlyb 'nôl i'n tŷ ni. Ar ôl cyrraedd, gosodais yr halen ar y bwrdd. 'Mae e'n fân,' eglurais.

'Be sy'n fân?' holodd Mam.

'Yr halen.'

'Jigi, pam wyt ti'n wlyb?'

'Clamp o bwll dŵr mawr.'

Ciciais fy sgidie i ffwrdd a cherdded i fyny'r grisie i newid. Dyna'r tro diwetha dwi'n mynd i unman i nôl halen.

Pennod Un Deg Dau

Amser swper darllenodd Dad y papur o'dd newydd gael 'i stwffio drwy ddrws y ffrynt. Ma' Mam yn casáu'r ffaith bod Dad yn darllen wrth y bwrdd bwyd, ond mae e'n dal i gneud – er mwyn pryfocio Mam yn fwy na dim. Dwi 'di trio 'neud yr un peth ag e unwaith neu ddwy, ond alla i ddim diodde'r holl gwyno, grwgnach a mwmian.

'Twpsod!' ebychodd Dad.

'Be sy'n bod nawr?' holais.

Dangosodd dudalen flaen y papur newydd. Yno ro'dd 'na lun o griw Mudiad 'Rhaid Helpu ein Coedwigoedd Hynafol' yn chwifio'u harwyddion at yrwyr.

'Hipis gwirion,' wfftiodd eto. 'Unrhyw ddatblygiad newydd ac ma'n nhw'n gwrthwynebu'n syth.'

'Felly, chi'n meddwl bod dinistrio coedwig sy'n ganrifoedd oed er mwyn adeiladu tai newydd hyll yn syniad da?' holodd Mam.

'Ry'n *ni*'n byw mewn tŷ newydd hyll,' mentrodd Dad.

'Ond tir ffarm o'dd fan hyn, nid coedwig!'

'Ac mae'n iawn adeiladu ar dir fferm agored?'

'Ma hynny 'chydig yn wahanol i ddinistrio hen goedwig.'

Do'dd Dad ddim yn hapus 'i fod e wedi colli'r ddadl. Plygodd y papur yn flin.

'Os wyt ti'n teimlo mor gryf am y peth, pam na wnei di ymuno â'r twpsod 'ma?'

'Falle y gwna i,' meddai Mam.

'Syniad da,' meddai Dad.

'Dwi'n gwbod,' meddai Mam eto.

'Os gwnei di, fydd 'na ddim croeso i ti yn 'y nhŷ i.'

'Nid dy dŷ di yw e ond ein tŷ *ni*! Cofio?'

'Camgymeriad mwya 'mywyd i!'

'Camgymeriad o'dd gadel i fi dalu hanner y morgais 'fyd, sbo? Os wyt ti ishe talu'r morgais ar dy ben dy hunan, paid gadael i fi dy rwystro di.'

'Sdim rhywle gyda ti i fynd?' holodd Dad o'r tu ôl i'w bapur.

'Ti'n meindio os wna i orffen y swper 'ma gynta?'

'Cwrs coginio bwyd sipsiwn heno, ife?'

'Sipsiwn?'

'Romani. Ma'n nhw'r un peth.'

'Romanaidd, Mel. Romanaidd. Ma lefel y twpdra yn y tŷ 'ma'n anghredadwy.'

'Diolch, Mam,' meddwn.

Taflodd Mam 'i fforc ar 'i phlât, codi ar 'i thraed, a rhuthro allan. Daeth yn ôl i'r gegin, ond dim ond cyn belled â'r drws, a dim ond digon hir i ddweud, 'Mel, ti 'di magu pwyse. Lot o bwyse. Os nei di ddala i stwffo dy hun fel'na, byddi di'n dewach na Siôn Corn erbyn Dolig.'

Ro'dd y papur newydd yn nwylo Dad yn crynu erbyn hyn, ond cyn iddo allu meddwl am rwbeth cas i weud nôl wrth Mam, ro'dd hi wedi mynd. Mewn gwirionedd, dwi'n meddwl bod Dad yn falch 'i bod hi 'di mynd. Ro'dd Dad yn edrych yn drist ac yn flin. Ma Mam yn gwbod yn gwmws shwt i neud iddo deimlo'n fach. Dylai hi gynnig gwersi ar y pwnc mewn dosbarth nos. Dwi'n siŵr y byddai'r gwersi'n boblogaidd iawn.

Ar ôl i Dad a minne ddilyn cyfarwyddiade manwl Mam am sut i roi pethe'n GYWIR yn y peiriant golchi

llestri, es i draw ar draws y ffordd am yr eildro mewn awr. Ro'n i am ddial ar Pît. Dyma fi'n canu'r gloch gan gadw golwg ar ffenest uwchben rhag ofn iddo drio'r un tric yr eildro.

'Oes pwynt i mi ofyn os yw Pît i mewn?' holais wrth i Anni agor y drws.

'Os nad yw e, ma'i deledu e'n perfformio i gynulleidfa wag.'

'Ble ma dy fam? Ble ma Oliver?'

'Ma'n nhw o gwmpas y lle 'ma yn rhywle.'

I mewn â fi. Ro'dd drws y stafell fyw ar gau, ond gallwn glywed cerddoriaeth agoriadol rhyw raglen sebonllyd yn llenwi'r lle. Ro'dd hyn yn golygu y byddwn i'n gallu talu'r pwyth yn ôl mewn heddwch. Do'dd gen i ddim cynllunie pendant eto, ond ro'n i'n gwbod y byddai fflach o ysbrydoliaeth yn dod cyn bo hir. 'Sneb yn taflu dŵr dros Jigi ap Sgiw, yn enwedig o fwced plastig pinc.

Dechreuais ddringo'r grisie a gweld rhywbeth yn symud ar y landin. 'Garrat,' meddwn i. 'Bydd yn barod i farw.'

Clywais sgrech Garrataidd, sŵn traed gwyllt yn rhedeg, a drws yn cau'n glep. Pan gyrhaeddais y ris ucha, ro'dd hi'n amlwg ble ro'dd Pît yn cuddio. Ma pobol wastad yn cuddio mewn stafelloedd 'molchi pan fydd rhywun am 'u gwaed. Curais y drws yn galed.

'Dere mas, y llipryn diegwyddor!'

Arhosodd Pît yn y stafell 'molchi. Daliais ati i guro.

'Jig . . .' meddai Anni a o'dd erbyn hyn yn sefyll wrth f'ysgwydd.

Ond ro'n i'n rhy flin i wrando arni.

'Os na wnei di lusgo dy ben-ôl gwirion mas fan hyn i'r landin ar unwaith er mwyn i mi allu 'i gicio fe o'r fan hyn i waelod y stryd,' meddwn wrth y drws, 'fe fydda i'n cicio'r drws i mewn.'

Clywais y clo yn troi. Agorais fy nwylo er mwyn gallu'u gosod nhw'n dynn o amgylch gwddf Pît. Agorodd y drws ychydig. Gallwn weld dau lygad yn syllu allan. Gwthiais y drws yn galed, a chlywed clec enfawr. Rhuthrais i mewn gan fynd yn syth am y gwddf o'dd y tu ôl i'r drws a'i wthio'n fflat i'r llawr.

'Reit!' meddwn i. 'Nawr 'te! O!'

Mae'n siŵr eich bod chi ishe gwbod pam wedes i 'O!'? Wel, y rheswm am yr 'O!' o'dd oherwydd do'dd y gwddw ro'n i'n 'i ddal ddim yn edrych nac yn teimlo fel yr un ro'n i wedi'i ddisgwyl. Ro'dd yr wyneb uwchben yn edrych yn wahanol 'fyd.

'Jigi, be . . . be . . ?' holodd Audrey Mint wrth i mi lacio 'ngafael ar 'i gwddf a phwyso 'nôl yn erbyn 'i chorff gwlyb.

'Ro'n i'n meddwl mai Pît o'ch chi,' eglurais.

'Ydw i'n edrych fel Pît?'

Codais ar 'y nhraed. 'Ry'ch chi'n edrych yn gwmws yr un fath ag e trwy ddrws caeedig,' meddwn.

Cododd hithau ar 'i thraed gan rwbio'i phen. Tynnodd dywel o'i hamgylch er mwyn gorchuddio'i rhanne noeth. Diolch byth am hynny! Eiliad arall, ac fe fydden i wedi cael fy nallu!

'Be yn y byd sy'n digwydd?' holodd Audrey.

'Esbonia i'r cwbwl . . . y tro nesa,' meddwn i gan faglu'n ôl lawr y grisie. Gallwn glywed Pît yn chwerthin ar y landin wrth i mi fynd.

Ddwy awr yn ddiweddarach, a minne'n trio 'ngore glas i dorri mewn i baced o fisgedi siocled â cyllell fara, siswrn a rholbren, canodd cloch y drws. 'Pît,' meddyliais gan ollwng y bisgedi ac estyn am badell ffrio. Dwn i ddim pam feddylies i mai Pît o'dd wrth y drws, ond 'na pwy ro'n i'n disgwyl 'i weld. Agorais y drws. Nid Pît o'dd yno, ond gwraig mewn ffrog hir, amryliw. Yn ogystal â'r ffrog amryliw ro'dd hi hefyd yn gwisgo mwclis ac ro'dd 'i gwallt mewn plethen hir. Cuddiais y badell ffrio tu ôl i 'nghefn.

'Helô,' meddai'r wraig â gwên fawr ar 'i hwyneb. Ro'dd ganddi ddannedd mawr sgleiniog. 'Ga i air â dy rieni?'

''Mond un ohonyn nhw sy mewn,' atebais.

'Ga i siarad â hi? Neu fe?'

'Fe. DAAAAD!'

Neidiodd y fenyw nôl mewn sioc, a dim ond jest osgoi'r goeden rosod.

'BE?'

'MA RHYWUN ISHE'CH GWELD CHI!' gwaeddais yn ôl.

'DWED WRTHYN NHW BO' NI DDIM ISHE DIM BYD!'

'Chi'n gwerthu rhwbeth?' holais y wraig.

'Ddim yn gwmws,' eglurodd hi.

'DYW HI DDIM YN GWERTHU UNRHYW BETH!' sgrechiais.

Ro'dd 'na saib wrth i Dad brosesu'r wybodaeth.

'HI?'

'IE! HI!'

Camodd Dad allan o'r stafell fyw gan dwtio'i wallt â'i law. Yn 'i law arall ro'dd copi Mam o gylchgrawn *Y Wawr*.

'Helô,' meddai'r wraig gan estyn ei llaw. 'Serena.'

'Serena?' meddai Dad gan syllu ar 'i llaw.

'Serena yw f'enw i.'

'O,' atebodd Dad gan afael yn y llaw.

'Mae'n ddrwg gen i darfu ar eich noson chi,' aeth Serena yn 'i blaen, 'ond dwi'n cynrychioli mudiad "Rhaid Helpu ein Coedwigoedd Hynafol". Ry'n ni'n poeni'n arw am ddyfodol Coed Carlwm a'r ffaith fod pobol ishe dinistrio'r cwbwl er mwyn adeiladu stad o dai newydd.'

'O!' ebychodd Dad.

Ochneidiais. Ro'n i wedi gweld hyn i gyd o'r bla'n. Pan ma Dad yn cwrdd â menyw â wyneb sy ddim yn edrych fel pen-ôl babŵn, mae ei benglinie'n gwegian, ac mae e'n dechre rwdlan.

'Dwi'n casglu enwau . . .' meddai Serena gan geisio tynnu'i llaw yn ôl o afael Dad, 'ar gyfer deiseb . . . i geisio rhwystro'r dinistr yn y goedwig.'

Llwyddodd Dad i weud rhwbeth. Pedwar gair, a bod yn fanwl gywir.

'Ble ma ishe arwyddo?'

Mae'n rhaid bod Dad wedi gollwng llaw Serena, achos pan gerddodd i mewn i'r gegin rai munude'n ddiweddarach ro'dd 'i ddwylo'n wag. 'Welest ti hi?'

'Pwy?'

'Y ferch brydferth 'na ar stepen y drws. Waw!'

Ro'dd golwg od ar Dad. Ro'dd e fel tase fe'n gwylio rhyw ffilm y tu mewn i'w ben ac yn dychmygu'i hun yn rhedeg drwy berllan brydferth law yn llaw â Serena wrth i un o hen ganeuon protest Dafydd Iwan chwarae yn y cefndir.

Pennod Un Deg Tri

Bore Sadwrn. Ro'dd Mam a Dad wedi codi o 'mlan i, fel arfer. Es i lawr y grisie, ond do'dd dim sôn am yr un o'r ddau. Yna, clywais sŵn allwedd yn nhwll y clo a da'th Dad i mewn. Ro'dd e'n dal bag plastig ail-law o dan 'i gesail.

'Be ti'n feddwl, Jig?' holodd gan symud 'i ben. Dawnsiodd golau'r haul ar ryw gylch aur yn 'i glust. O'dd! Ro'dd gan Dad dlws yn 'i glust chwith. Llyncais fy mhoer.

'Clustdlws? Ti?'

'Ma pawb sy'n rhywun yn 'u ca'l nhw'r dyddie 'ma,' meddai Dad.

'A lot o ffylied erill 'fyd. Paid dweud bod gen ti di dwll yn dy glust?'

'Twll? Ti'n wallgo? Na, clipio 'mlan ma hon.'

Pwyntiais at y bag plastig. 'Be sy yn y bag, 'te? Cafftan?'

'Na, ro'n nhw wedi gwerthu mas! Ond ma hwn hyd yn oed yn well. Dwi'n siŵr y bydd e'n creu cryn argraff, hyd yn oed ar dy fam.'

'Paid â bod yn *rhy* siŵr,' meddwn i.

'Dwi am fynd lan i'w drio.' Ro'dd Dad ar fin symud at y drws pan ofynnodd, 'Ble ma hi?'

Codais fy sgwyddau. 'Duw a ŵyr!'

Aeth Dad i fyny'r grisie ac es inne i'r gegin i chwilio am frecwast. Ro'n i hanner ffordd drwy fowlenaid o

greision ŷd organig diflas pan ddaeth Dad yn ôl i mewn. Ro'dd e'n gwisgo'r wisg o'dd ganddo yn y bag plastig.

'Capten Abersoch,' ebychais dan f'anadl. Ro'dd Dad yr un ffunud ag e!

Ro'dd Dad, sy byth yn sefyll ar 'i ddwy droed os oes 'na rywle i ishte, nawr yn gwisgo tracwisg. Ond nid tracwisg gyffredin. Ro'dd hon yn borffor ac wedi'i gneud o ryw ddefnydd sgleiniog, hyll. Ro'dd hi hefyd yn rhy fawr iddo. Heblaw am y ffaith 'i fod e'n gwisgo band chwys oren llachar am 'i ben, byddai'n edrych yn union fel Tinci Winci.

'Wel?' holodd Dad.

'Wel, beth?' atebais gan deimlo 'mrecwast yn ceisio ailymweld â'r byd.

'Ydy hon yn fy siwtio i?'

'Ydy . . . a na'dy, ond yn bennaf na'dy.'

'Dwi 'di ca'l llond bol ar bryfocio dy fam,' eglurodd Dad. 'Dwi'n mynd i golli pwyse. Ac ma'r pwyse'n mynd i gwmpo bant.'

'Dyw pobol ddim yn colli pwyse dim ond achos 'u bod nhw'n gwisgo tracwisg!'

'Wrth gwrs nad 'yn nhw. Ond dwi 'di penderfynu dechre rhedeg.'

'Rhedeg? Ti?'

'Ie. Rhedeg. Croeso i ti chwerthin!'

'Sai'n chwerthin. Ma ishe mwy o redwyr ar y wlad 'ma. Dychmyga pa mor salw fydde'r byd heb redwyr. Ond Dad . . . pam . . . y dracwisg yna? O'r holl dracwisgo'dd yn y byd, pam dewisest ti honna?'

'Hon o'dd yr unig un yn y siop elusen.'

'A be am y band chwys?'

'Ges i hwnna am ddim.'

Ro'dd Mam wedi mynd drws nesa i dŷ Janet Overton. Newidiodd Dad allan o'i dracwisg cyn iddi gyrraedd yn ôl. 'Dwi ishe rhoi syrpreis iddi,' eglurodd Dad.

'Fydd e'n fwy na syrpreis,' meddwn i.

Ond penderfynodd Dad gadw'r clustdlws i mewn, ac er bod Mam yn gneud 'i gore glas i anwybyddu Dad, ro'dd hi'n amhosib iddi beidio â gweld yr addurn aur hyll. Ddwedodd hi 'run gair, ond pan redodd i fyny'r grisie do'n i ddim yn siŵr os o'dd hi'n crio, yn chwerthin neu ishe mynd i bi-pi. Ond pan ddaeth Mam i lawr ychydig yn ddiweddarach ro'dd 'na ddagre yn 'i llyged, a phob ryw hyn a hyn byddai'n stwffio'i hances i mewn i'w cheg. Dyna egluro'r dirgelwch, felly.

'Jigi,' meddai Mam ar ôl iddi ddod dros 'i phwl, 'paid gneud unrhyw gynllunie tan ar ôl cinio.'

'Pam, be sy'n digwydd ar ôl cinio?'

'Ma hynny lan i ti. Ond cyn cinio ry'n ni'n mynd i siopa. I ArchFarch.'

Torrodd fy nghalon yn y fan a'r lle.

'Siopa? Ti a fi?'

'A dy dad.'

'Y tri ohonon ni? Be, fel . . . teulu?'

'Ie.'

'Mam,' meddwn i. 'Dim gobeth – nefar in Iwrop – byth bytho'dd! Sai'n dod i siopa bwyd 'da chi. Beth os welith rhywun ni?'

'Jigi,' meddai Mam gan glosio ata i a dechre siarad yn araf. 'Dwi'n mynd i siopa, ac ma ishe help arna i.'

Closiais inne ati ychydig bach yn fwy a siarad yr un mor araf. 'Ti'n mynd siopa *ac* ma ishe help arnat ti?'

'Cywir. A ti yw'r help. Sdim dewis i ga'l.'

Pwysais inne 'nôl. 'Pam ma'n rhaid i fi fod yno os yw Dad yn dod 'fyd?'

'Ma 'na lwyth o bethe ar y rhestr, ac ma ishe tair llaw i gario popeth.'

'Wel, os mai dim ond tair llaw sydd 'u ishe, fe fydd un yn sbâr rhyngoch chi a Dad!'

'Ma ishe'r *ddau* ohonoch chi,' meddai Mam yn flin.

'Ydy Dad yn gwbod?'

'Ddim 'to.'

Daeth Mam o hyd i Dad yn y gegin. Do'dd dim awydd mynd i siopa arno ynte chwaith. 'Alla i ddim,' eglurodd. 'Ma'r dyn trwsio'r teledu'n galw.'

'Pryd?'

'Unrhyw funud . . . ond ti'n gwbod fel ma'r bobl 'ma'n gallu bod . . . wastad yn hwyr.'

Canodd cloch y drws.

Rhegodd Dad.

Felly tra o'dd Mam yn gneud pethe merchetaidd fel tacluso a gneud y gwelye, gwyliodd Dad a minnau'r dyn trwsio teledu'n rhwygo cefn y set deledu i ffwrdd a syllu mewn i'w chrombil. Trodd rywbeth, yna trodd rywbeth arall cyn dweud yn blwmp ac yn blaen nad o'dd gobaith trwsio'r teledu.

'Ond ma gêm Cwmcagl ac Aberwhilber 'mlan heddi!'

Yn y diwedd, rhag i'r wythïen ym mhen dad ffrwydro, cynigiodd y dyn roi benthyg hen set deledu o'dd ganddo yng nghefn 'i fan i ni tra o'dd ein teledu ni'n cael 'i drwsio. Bu bron i Dad roi cusan i'r dyn. Ro'dd yr hen deledu arall yn llai na'n un ni, a'r llun yn dawnsio tipyn, ond ro'dd Dad wrth 'i fodd.

Cyn bo hir, da'th Mam i mewn i sôn am siopa 'to.

'Alla i ddim, yn anffodus,' eglurodd Dad. 'Ma'r gêm wedi dechre.'

'Dyw'r gêm *ddim* yn dechre am dair awr arall,' ebychodd Mam.

'Dwy awr, pymtheg munud a dwy eiliad a bod yn fanwl gywir.'

'Digon teg, ond ma hynny'n rhoi digon o amser i ni fynd i'r archfarchnad.'

'Rhaid i fi gyfarwyddo â'r hen deledu 'ma,' meddai Dad.

'Bydd 'na ddigon o amser i ti neud 'ny tra byddan nhw'n whare. Nawr, dere!'

A dyna'i diwedd hi. Ro'dd Mam wedi rhoi'i throed lawr. Ma Mam yn debyg i Anni. Dy'n nhw ddim yn fodlon derbyn 'na' fel ateb. A dweud y gwir, dy'n nhw ddim yn fodlon derbyn unrhyw ateb sy'n groes i'r graen iddyn nhw. Menywod!

ArchFarch yw'r siop fwyd ma Mam yn hoffi'i defnyddio ar ochr arall y dre. Gan 'i bod hi'n ddydd Sadwrn ro'dd pawb arall wedi cael yr un syniad, ond nid dyna'r peth gwaetha am y profiad. Ar ôl i ni lwyddo i yrru allan o'n stryd ni gyda holl geir eraill y stad, ymunodd pob car arall o fewn radiws o bum milltir i ni â'r rhes draffig, gan greu un dagfa anferth. O ganlyniad, fe dreulion ni'r awr nesa'n symud rhyw fodfedd bob deng munud. Do'dd Dad ddim yn hapus. Ma fe'n casáu ca'l 'i ddal mewn traffig. Bob tro ro'dd yn rhaid iddo stopio byddai'n gollwng ambell reg dan 'i anadl. Yn y diwedd, cafodd bregeth gan Mam am weud y fath bethe o 'mlan i.

'Beth yw pwynt byw . . . ' holodd Dad, 'os na alla i regi bob hyn a hyn?'

O'r diwedd, dyma ni'n cyrraedd y ffordd o'dd yn arwain i'r archfarchnad. Eisteddais yng nghefn y car yn anwybyddu fy rheini a o'dd, erbyn hyn, yn anwybyddu'i gilydd. Pendronais a fyddai modd dianc o'r car heb i unrhyw un sylwi. Beth yw'r pwynt gwastraffu diwrnod yn ishte mewn ffwrn ar olwynion yn aros i brynu pethe dy'ch chi mo'u hishe, wrth i'ch bywyd prysur fyrhau. Be o'dd yn neud yr holl beth yn wa'th o'dd y ffaith ein bod ni'n gallu gweld maes parcio ArchFarch; ro'dd 'na ganno'dd o fanne parcio gwag ond doedden ni ddim yn gallu cyrra'dd yr un ohonyn nhw. Y rheswm am hyn o'dd bod y peiriant tocynne wedi torri ac ro'dd 'na ryw fenyw go ryfedd yr olwg â minlliw lliw mefus coch yn drwch dros 'i gwefusa'n sgrifennu tocyn â llaw i bawb.

O'r diwedd, dyma ni'n cyrraedd y maes parcio a syrthiodd pawb allan o'r car. Y peth cynta 'nath Mam o'dd rhwygo'i rhestr siopa yn ei hanner. 'Da iawn! 'Na ddiwedd ar hynny 'te,' meddwn i wrth Dad. 'Allwn ni ddechre'n taith chwe awr 'nôl adre nawr.'

Ond dim gobeth! Dyma Mam yn rhoi un hanner o'r rhestr i Dad a chynnig ein bod ni'n mynd ar wahân. 'Paid â 'nhemtio i,' mwmialodd Dad, gan edrych ar y rhestr. 'Wel, dwi'n bendant ddim yn prynu hwn'na,' meddai Dad. 'Dwi 'di gweud ganwaith nad ydw i'n mynd i ddefnyddio papur tŷ bach 'di'i ailgylchu. Sdim dal ble ma fe 'di bod.'

'Ma 'da fi syniad eitha da,' meddwn i.

Tynnodd Mam ddau droli allan o'r rhes drolis a gwthio un draw at Dad. Ochrgamodd, felly dyma fi'n gorfod

gafael yn y troli. Roedden ni ar fin mynd i mewn i'r siop pan glywon ni bobol yn canu. Protestwyr. Ac arwyddion.

'STOPIWCH NHW NAWR! STOPIWCH NHW NAWR! STOPIWCH NHW NAWR!'

'Beth yw'r holl ffỳs 'ma?' holodd Dad.

'RHECHwyr,' atebais.

'Be?' holodd Mam.

'Mudiad "Rhaid Helpu ein Coedwigoedd Hynafol".'

'Ond sdim coed i ga'l fan hyn,' meddai Dad.

'Ro'dd rhai'n arfer bod 'ma,' meddai Mam.

'Pam nad wyt ti'n protestio tu fas i'r siop 'te?'

'Wel . . . ma ishe pethe arnon ni.'

'Ond sdim ishe papur tŷ bach wedi'i ailgylchu.'

'Dwi am fynd i weld be sy 'da nhw i weud,' meddai Mam. 'Wela i chi 'nôl yn y car mewn tri chwarter awr.' A gwthiodd 'i throli i gyfeiriad y RHECHwyr. Ro'dd hi'n igam-ogamu braidd am fod un o olwynion y troli'n mynnu'i gwthio hi i gyfeiriad cwbwl wahanol.

'Bydd dy fam yn ymuno â nhw nawr chwap!' wfftiodd Dad.

'Neu'n arwyddo'u deiseb nhw,' meddwn inne dan wenu.

Edrychodd arna i. 'Ti ddim am weud unrhyw beth?'

'Mae'n dibynnu,' meddwn i.

'Dibynnu ar be?'

'Mwy o arian poced.'

'Jig, alla i ddim rhoi mwy i ti,' meddai Dad. 'Ti 'di 'mlacmelio i gymaint dwi 'di gorfod cael gorddrafft i ddala lan â ti!'

Gwthiodd y troli i mewn i ArchFarch a rhedeg ar ôl Mam cyn i mi gael cyfle i ddadlau.

Pennod Un Deg Pedwar

Penderfynais beidio cymryd troli na basged chwaith – do'n i ddim ishe aberthu'r 'chydig hunan-barch o'dd 'da fi. Felly dyma fi'n crymu f'ysgwyddau, yn stwffio 'nwylo yn 'y mhocedi a cheisio dychmygu nad o'n i yno. Ro'dd Dad rhyw fetr o 'mlan i, a phan stopiodd yn sydyn cerddais yn syth i mewn iddo, gan ddinistrio 'nelwedd cŵl yn y fan a'r lle. Wrth i mi ddringo allan o'i boced ôl, gallwn 'i weld e'n grwgnach ar 'i ddarn e o'r rhestr siopa.

'Jig, beth yw Selar-ya-ac?' holodd Dad.

'Sai'n siŵr.' Daliodd Dad y rhestr i fyny o flaen fy wyneb. Ysgydwais 'y mhen. 'Dim syniad.'

'Seleriac, falle?' awgrymodd rhyw lais arall – nid fy llais i, ac nid llais Dad chwaith.

Edrychodd y ddau ohonon ni i gyfeiriad y llais dieithr. Ac yno, o'n blaene, ro'dd yr hipi fenywaidd ddaeth at y drws y noson o'r blaen. Dechreuodd Dad lafoerio dros 'i grys.

'Wrrrrrhhhhhyyyr?' holodd hwnnw wrth i'w dafod chwyddo yn 'i geg.

Pwysodd y fenyw ymlaen i gael golwg fanylach ar y rhestr, gan roi cyfle i Dad arogli'i gwallt; ro'dd hwnnw wedi'i blethu a'i osod ar dop 'i phen fel nyth o nadroedd marw.

'Ie, seleriac. Mae fel rhywbeth rhwng swejen a seleri.'

'Amapoblyn'ifwytafe?' mwmiodd Dad.

Gwenodd y fenyw gan fflachio'i dannedd gwyn ar Dad. Dallwyd un neu ddau o'n cyd-siopwyr ac aethon nhw'n syth at y cownter sbectol haul.

'Dyw e ddim at ddant pawb, ond dwi'n eitha hoff ohono fy hun. Dere, mae e draw fan hyn.'

A dyma hi'n hwylio bant i ardal y llysie. Sythodd Dad y dei do'dd e ddim yn 'i gwisgo a'i dilyn hi'n frwd. Ro'dd hithe'n aros amdano'n dal rhyw wreiddyn afiach yr olwg yn 'i llaw. Triodd Dad ddangos rhyw fath o ddiddordeb yn y llysieuyn anghyffredin, ond ro'n i'n gwbod yn iawn mai ishe gorwedd ar y llawr yn llyfu'r llwch oddi ar 'i sandale hi ro'dd e wir ishe'i neud. Dilynais inne ymhen ychydig, gan geisio edrych yn cŵl unwaith eto drwy syllu'n amheus ar yr arwydd dau-am-bris-un wrth y grawnwin du.

'Wel, rhaid i fi fynd,' meddai'r fenyw gan chwarae â'i mwclis, 'dwi fod tu fas gyda'r lleill.'

'Y lleill?' holodd Dad, o'dd wedi cofio o'r diwedd shwt i siarad yn iawn.

'Welsoch chi nhw ar y ffordd i mewn?'

'O, do. Rheiny!'

'Pam na wnewch *chi* ymuno â ni?' holodd y fenyw.

'Ymuno â chi?' atebodd Dad a'i lyged yn fflachio.

'Dyma 'ngherdyn i. Rhag ofn i chi newid eich meddwl.'

Tynnodd gerdyn o'i phwrs brethyn. Cymerodd Dad hi gan syllu'n gariadus arni (ar y garden, nid y fenyw!).

'Serena,' sibrydodd, fel rhywun o'dd ar fin dechrau gweddïo.

'A'ch enw chi . . ?' holodd Serena.

'Fi?' atebodd Dad gan edrych i fyny. 'Www . . .'

Ie, ddarllenwyr, ro'dd Dad wedi anghofio'i enw.

Penderfynodd Serena beidio aros i weld os o'dd Dad yn mynd i gofio'i enw. 'Rho wbod os wyt ti am ymuno!' meddai. Wrth iddi gerdded bant, sylwais am y tro cynta nad o'dd ganddi droli na basged, a doedd hi ddim yn cario unrhyw siopa chwaith. Syllodd Dad ar 'i hôl, gan arogli'r seleriac ro'dd Serena wedi'i roi iddo. Ro'dd hi wedi cyrraedd drws y siop erbyn hynny, rhyw bymtheg metr i ffwrdd, pan gofiodd am rywbeth ar restr Dad o'dd wedi dal 'i llygad. Gwaeddodd ar dop 'i llais:

'FALCH GWELD 'YCH BOD CHI'N DEFNYDDIO PAPUR TŶ BACH WEDI'I AILGYLCHU!'

'BYTH YN DEFNYDDIO UNRHYW BETH ARALL!' atebodd Dad.

Es i i guddio tu ôl i'r bananas yn y gobaith y byddai siopwyr eraill yn anghofio mod i'n perthyn o gwbwl i'r twpsyn. Allwn i ddim gadael y siop, er mai dyna o'n i ishe'i neud, am y bydde Mam yn mynd 'mlan a 'mlan am y peth, fel ma hi'n neud bob tro – 'Jigi ap Sgiw,' 'diogyn anniolchgar,' 'taset ti ond wedi bod yn ferch' – yr un hen diwn gron. Yn y diwedd penderfynais redeg rownd y gornel. Yn anffodus, rhedais yn syth i mewn i fol cyhyrog ein hathro chwaraeon anferth, Mr Reis.

'Pwyll pia hi! Edrych ble wyt ti'n mynd . . . Wel, wel – ein hen gyfaill, Jigi ap Sgiw!'

Un o brobleme mwya Mr Reis – ac ma 'da fe filoedd ohonyn nhw – yw'r ffaith nad yw e'n gwbod shwt ma siarad yn dawel. Mae'i lais mor uchel nes 'i fod e'n gneud i Bryn Terfel swnio fel llipryn bach ofnus.

'Do'n i ddim yn eich nabod chi heb y dracwisg goch wirion, syr,' meddwn i.

'Mae'n benwythnos!' gwaeddodd.

'Jîns glas gwirion amdani 'te?' gwaeddais inne'n ôl.

'Yn gwmws!'

Ro'dd hi'n anodd i mi brosesu'r olygfa o Mr Reis mewn jîns, ac fe geisiais beidio â syllu rhag i bobl ddechre siarad. Ro'dd popeth arall am Mr Reis yn eitha normal, penwythnos neu beidio. Yr wyneb, y gwallt, y sgidiau rhedeg maint cychod pysgota.

'Helô, Jigi,' meddai llais arall – un cyffredin y tro hwn. 'Helpu dy reini i siopa?'

Miss Weeks, dirprwy brifathrawes Ysgol Bryn Cyprus, o'dd yno. Do'dd neb yn siŵr sut yn y byd ro'dd Mr Reis a hithe wedi dod at 'i gilydd. Rhwbeth i 'neud â'r ffaith 'u bod nhw ill dau'n hoff o chwaraeon, am wn i. Ro'dd Miss Weeks hefyd yn gneud i bengliniau Dad wegian. Tase fe 'di'i gweld hi ar ôl y sgwrs gafodd e gyda Serena, byddai'n troi'n lwmpyn o jeli o fewn eiliade.

'Ie, Miss. Hwyl!'

Rhedais yn ôl rownd y gornel gan osgoi'r dyn bach tew â sbectol gron o'dd yn archwilio'r labeli te. Gan amla, fydden i ddim 'di sylwi arno, ond ro'dd y ffaith 'i fod e'n gwisgo siaced a throwsus cuddliw yn tynnu sylw ato. Petai e wedi bod lan mewn coeden dwi'n siŵr na fydde neb yn gallu'i weld, ond yng nghanol ArchFarch ro'dd e'n amlwg iawn.

'Helô, Jigi.'

Hawyr bach! Do'n i ddim yn saff yn unman.

'Ar dy ben dy hun wyt ti?' holodd Steff.

'Tase hynny ond yn wir,' ebychais gan edrych ar y bwmpyn o dan 'i chot. 'Sneipen?'

'Ie. Mae'n cysgu, dwi'n meddwl.'

'Ti'n iawn. Ma dy drwyn di'n rhedeg.' Sychodd 'i

thrwyn. 'Os yw dy drwyn di'n rhedeg, ma hynny'n golygu dy fod ti'n dal i wisgo'r plisgyn.'

'Ma Sneipen yn dwlu ishte arno.'

'Pam na wnei di adael y plisgyn yn y tŷ a gadael i Sneipen ishte arno bryd 'ny?'

'Ond allen i ddim. Mae'n hoffi cwmni.'

Dyma fi'n holi beth o'dd hi'n neud yno. Cwestiwn eitha twp i ofyn mewn archfarchnad, dwi'n gwbod. Edrychais i mewn i'w basged. Do'dd 'na ddim rhyw lawer ynddo.

'Ar dy ben dy hun?'

'Ma Mam yn brysur . . . fel arfer.'

'Ydy hi'n gwbod am Sneipen 'to?'

'Na.'

'Dyw hi heb sylwi ar y bwmp dan dy got?'

'Ddwedes i mod i'n gwisgo rhwbeth ar gyfer sialens. Ro'dd Mam yn falch mod i'n cymryd rhan mewn pethe. Edam.'

'Be?'

'Caws o'r Iseldiroedd. Ma ishe Edam arna i.'

Cerddodd draw tuag at y gownter y deli a theimlais ddyletswydd i'w dilyn gan nad oedden ni wedi dweud hwyl fawr. Tra o'dd Steff yn prynu'r caws, sefais innau wrth ymyl y cownter yn trio edrych yn cŵl. Sylwais ar fwrdd bach ym mhen pella'r cownter. Ro'dd lliain bwrdd gwyrdd drosto a thu ôl i'r bwrdd ro'dd 'na fenyw mewn het werdd wirion a ffedog werdd. Ro'dd 'na soseri ar y bwrdd, ac ar bob un o'r rheiny ro'dd 'na gracyrs a lwmpyn o gaws arnyn nhw. Ar ôl i Steff brynu'r caws, gofynnodd i'r fenyw beth o'dd y lwmpie bach ar y cracyrs.

'Caws Crymych,' eglurodd y fenyw. 'Mae'n rhywbeth newydd. Ar gyfer llysieuwyr. Croeso i chi ei flasu.'

Cododd Steff gracyr. Ro'dd ar fin 'i flasu pan sniffiodd yn uchel. Da'th sgrech fach o'i cheg. 'O na! Ma 'na honc yn dod!' A gollyngodd y cracyr.

'Honc?' holodd y ddynes.

'Tisian,' meddwn i. 'Alergedd . . .'

Trïodd Steff roi'i llaw o flaen 'i hwyneb, ond do'dd hi ddim yn ddigon cyflym. Gyda sŵn byddarol, ffrwydrodd hylif gwyrdd o drwyn Steff gan lanio ar y bwrdd a thros ffedog y fenyw. Ro'dd y ffedog wedi'i gneud o blastig, felly dechreuodd y sneips lifo i lawr fel afon. Yn anffodus, doedd y lliain bwrdd ddim wedi'i neud o blastig, ac arhosodd y sneips yn 'u hunfan. Ro'dd y caws a'r cracyrs wedi'u gorchuddio. Ond yn rhyfedd iawn, ro'dd y fenyw'n poeni mwy am 'i ffedog nag am y bwrdd, a rhedodd drwy'r fflapiau rwber o'dd wrth ymyl y cownter i olchi'r ffedog yn lân.

Gan nad o'dd neb yn edrych pan honciodd Steff, welodd neb be ddigwyddodd. Clywodd digon o bobol y sŵn, ond erbyn iddyn nhw sylwi ei fod wedi dod o'n cyfeiriad ni, ro'dd y sneips wedi setlo ar ben y caws a suddo i mewn i'r lliain bwrdd. Cyn i'r sneips ddiflannu, fe welson ni lun yn symud ynddyn nhw.

'Mae'n edrych fel . . .' meddai Steff.

'Mr Reis,' meddwn i wrth i'r llun ddechrau diflannu. 'A drycha be mae e'n . . .'

'Pwy sy'n defnyddio f'enw i'n ofer?!' gwaeddodd llais o'r tu ôl i mi.

'Beth o'dd y sŵn 'na?' holodd Miss Weeks.

'Y fanana 'co,' meddwn i.

'Caws newydd?' gwaeddodd Pwdin Reis. 'Mae'n edrych yn fendigedig. Mae'n sgleinio – yn union fel dw i'n 'i hoffi!'

Dechreuodd cot Steff gyffroi. Ro'dd Sneipen wedi deffro oherwydd arogl y sneips. Tynnodd Steff 'i chot yn dynnach amdani wrth i Mr Reis ein gwthio o'r ffordd. Cododd un o'r cracyrs i'w geg a dechre bwyta. Crensiodd yn uchel. Diferodd rhywbeth gwyrdd o gornel 'i geg.

'Ardderchog!' ebychodd Mr Reis.

Cododd gracer arall. Llyncodd y caws yn swnllyd. Do'dd e ddim yn gwbod llawer am gaws. Ond ro'dd e'n amlwg yn hoffi'r caws arbennig yma ac ro'dd Steff a minne'n gwbod hynny'n barod ar ôl gweld y darlunie'n symud yn gynharach. Ro'dd Mr Reis wrth 'i fodd. Dechreuodd daflu'r cracyrs i mewn i'w geg un ar ôl y llall. A dweud y gwir, fe ddyle Steff a minnau fod wedi diflannu erbyn hyn. Ond ro'dd gweld athro'n bwyta caws wedi'i orchuddio â sneips yn olygfa werth ei gweld. Yn anffodus, ro'dd Sneipen yn mynd yn wallgo o dan got Steff hefyd ac fe driodd hithe 'i gore glas i ddal y creadur i mewn. Ond ro'dd yn rhy gryf a neidiodd allan o'r got. Syrthiodd ar y bwrdd. Dechreuodd lyfu. Yna trodd at Mr Reis.

Ro'dd hwnnw'n gegrwth (dwi ddim yn cofio sawl gwaith ma Mam 'di gweud wrtha i am beidio â bwyta â 'ngheg ar agor). Ro'dd cynnwys ceg Mr Reis o ddiddordeb mawr i Sneipen. Llamodd i fyny a dal ceg Mr Reis ar agor â'r breichie bach o'dd wedi'u hymestyn yn llydan. Ro'dd Sneipen ar fin cael blas ar donsils Mr Reis pan afaelodd yr athro yn y peth bach gwyrdd a'i daflu i ffwrdd. Yn anffodus, digwyddodd hyn ar yr

union eiliad y penderfynodd rheolwr ArchFarch ddod draw i weld beth o'dd achos yr holl sŵn. Trawodd Sneipen y rheolwr ar 'i dalcen, ac wrth i hwnnw syrthio i mewn i ganol yr iogwrt Groegaidd, bownsiodd y creadur ymlaen i gyfeiriad y Nwyddau Cartref.

Penderfynodd Steff a minnau sleifio i ffwrdd wrth i Miss Weeks helpu'r rheolwr i godi ar ei draed ac i Mr Reis drio esbonio 'i fod newydd fod mewn ffeit gyda llysieuyn ag un llygad!

Pennod Un Deg Pump

Ar ôl cinio es i draw i dŷ Pît ac Anni. Dyma fi'n ishte yn y gegin a dechre adrodd helynt ArchFarch wrthyn nhw. Roedden nhw wrth 'u boddau â'r stori.

'Ond be ddigwyddodd i Sneipen?' holodd Anni.

'Sai'n siŵr. Glaniodd yn rhywle rhwng y Nwyddau Cartre a Bwyd y Byd.'

'O'dd Steff yn drist?'

'Trist?'

'O golli Sneipen.'

'Sai'n siŵr. Aeth hi i dalu ac es i mas i'r maes parcio i aros am yr Hynafiaid. Dyna'r tro diwetha weles i hi.'

'Dwi 'di bod yn meddwl am y plisgyn 'na,' meddai Anni. 'Dwi'n meddwl y dylen ni fynd draw ag e i'r ganolfan arddio i weld os allan nhw weud beth yw e.'

'Pam fydden ni ishe gneud 'ny?' holodd Pît.

'Sdim diddordeb da ti mewn gwbod?'

'Nac oes.'

'Aros fan hyn 'te. Awn ni hebddot ti.'

Pan ddefnyddiodd Anni y gair 'ni', ro'dd hi'n golygu hi a fi. Do'dd dim byd gwell 'da fi i'w neud, felly penderfynais beidio dadle. Ffoniodd Anni rif ffôn tŷ Steff i'w gwahodd hi hefyd. Ro'dd hynny'n swnio fel syniad da gan mai'i phlisgyn hi o'dd e. Do'dd dim ateb. Ro'dd Anni ar fin trio'i ffôn symudol pan sylweddolodd nad o'dd hi'n gwbod y rhif.

'Be nesa 'te?'

Do'dd dim ateb i hynny chwaith. Ro'n i'n rhagweld bod dydd Sadwrn diflas o'n blaenau ni. Felly, dyma fi'n cynnig meddwl am ragor o reole ar gyfer llyfr rheole Triawd y Buarth, ond ro'dd Pît o'r farn bod tair rheol yn ddigon. Edrychais yn gas arno. 'Ac ma 'na hefyd fater bach o ddial. Dwi'n siŵr y gallen ni dreulio cwpwl o orie'n dial arnat ti.'

'Ti 'di dial yn barod,' protestiodd Pît. 'O flaen llaw. Ma gen i glais ar f'ysgwydd sydd yr un maint â'r Ffindir.'

'Ma'r Ffindir yn hir ac yn dene,' meddai Anni.

'Yn gwmws fel y clais.'

Pan ddaeth Mam draw i'r tŷ i siarad ag Audrey am wallt, aethon ni draw i 'nhŷ i. Ro'dd Stallone ar stepen y drws. Poerodd at bawb wrth i ni gerdded heibio.

'Dad yn gwylio'r teledu 'to?' holais.

'Grrrrr,' meddai Stallone.

Ma Stallone yn casáu pêl-droed gymaint ag ydw i. Ond ma Stallone yn casáu popeth.

Ro'dd y paratoadau ar gyfer y gêm yn prysur mynd yn 'u blaenau. Ro'dd Dad yn 'i safle arferol: yn gorwedd ar y soffa, yn 'i bants, a llond bocs o gwrw Rwsiaidd cynnes wrth law.

Gofynnodd Pît pwy o'dd yn chware. Atebodd Dad.

'Sai erioed 'di clywed amdanyn nhw,' atebodd Pît.

'Falle nad 'yn nhw 'di clywed amdanat ti chwaith,' wfftiodd Dad.

Ma fe'n gymaint o jocar.

I mewn â ni i'r gegin, ac yfed galwyni o Cola melys ArchFarch nes ein bod ni ar fin bostio.

'Dwi'n meddwl mod i'n gwbod ble ma hi,' meddai Anni gan dorri gwynt.

'Pwy?' byrpiais innau'n ôl.

'Steff.'

'Ble?'

'Yn y goedwig,' byrpiodd Anni. 'Ma'r coed yn ca'l 'u torri ddydd Llun. Cyfle . . . byrp . . . ola iddyn nhw rwystro'r holl beth.'

Falle bod gan Steff bwerau seicig, achos y funud honno canodd ffôn Anni a phwy o'dd ar yr ochr arall ond Steff. Ro'dd hi'n ffonio i weld os oedden ni 'di gweld Sneipen ers yr ArchFarch, achos ro'dd hi'n poeni am y peth bach gwyrdd. Byrpiodd Anni gan weud nad oedden ni wedi gweld dim. Gofynnodd hefyd ble ro'dd Steff. Fel ro'dd Anni wedi meddwl, ro'dd hi yn y goedwig gyda'i mam a'r RHHECHwyr. Gofynnodd Anni shwt o'dd y brotest yn mynd. Atebodd Steff 'i bod yn mynd yn iawn, a gofynnodd pam na fydden ni'n dod draw i ymuno â nhw. Ateb Anni o'dd y bydden ni wrth ein bodd, ond roedden ni'n rhy brysur yn torri gwynt. Aeth Anni a Pît adre gan 'u bod nhw 'di methu meddwl am reswm da i aros nawr bod y Cola wedi gorffen. Es i fy stafell i gario 'mlan ag *Anturiaethau Capten Abersoch*.

Penwythnose. Ma'n nhw'n gallu bod yn wefreiddiol.

Mae'n amlwg mod i wedi syrthio i gysgu, neu fyddai bloedd Dad ddim wedi gneud i mi neidio. Ro'n i'n gorwedd ar y carped wrth ymyl y gwely gyda Capten Abersoch ar 'y ngwyneb. Codais fy mhenglinie a stryffaglu at y drws.

'Be?!' holais.

'Dwi'n mynd mas!' gwaeddodd Dad o waelod y grisie. 'Os bydd rhywun ishe fi, dwi . . . mas.'

'Iawn,' meddwn i.

Codais a mynd i lawr y grisie. Dwi'n credu 'i bod hi'n haws cerdded i lawr y grisie ar eich traed nag ar 'ych penglinie. Ond yn anffodus, y tro 'ma nid dyna be ddigwyddodd oherwydd ro'dd un o 'nghoese i'n dal i gysgu ac ro'dd yn rhaid i mi 'i llusgo â 'nwylo. Erbyn i mi gyrraedd gwaelod y grisie ro'dd Dad wrth y drws ffrynt. Ro'dd e'n gwisgo sandale a mwclis. Ie, sandale. Ac ie, mwclis. Dad. Ond do'n i ddim ishe tynnu sylw at y ffaith.

'Dad,' meddwn i'n bwyllog. 'Ti'n edrych fel lembo. Gwna'n siŵr dy fod ti'n rhoi bag dros dy ben cyn i ti fynd mas.'

Taflodd Dad gip ar 'i wisg. 'Dyw e ddim yn fy siwtio i?'

'Fel dwi 'di gweud o'r bla'n – ydy a na'dy, ond na'dy yn bennaf. Be am y gêm?'

'Pa gêm?'

'Y gêm bêl-droed.'

'Gêm wael. Drois i'r teledu bant.'

Do'n i ddim yn gallu credu'r peth. 'Droist ti'r teledu *bant*? *Yn ystod* gêm bêl-droed?'

Sai'n meddwl bod Dad 'di troi'r teledu bant yn ystod gêm bêl-droed yn 'i fywyd o'r bla'n. Do'dd dim ots pwy o'dd yn chware, neu pa mor wael oedden nhw, ro'dd yn rhaid gwylio gêm bêl-droed o'r dechre i'r diwedd. Ac fel arfer, byddai'r diwedd swyddogol yn dod rhyw 5 awr ar ôl i'r gêm orffen wrth i ohebwyr a rheolwyr a chwaraewyr twp â'u tatŵs a'u steils gwallt gwirion fanylu ar be ddigwyddodd a be na ddigwyddodd, a phwy 'nath hyn a phwy 'nath y llall. Ma pawb call yn

dueddol o syrffedu â'r nonsens 'ma ar ôl tua munud. Ond *nid* cefnogwyr pêl-droed. Ac nid Dad. Fel arfer.

'Ble ti'n mynd?' holais.

'Ma ishe awyr iach arna i,' atebodd gyda thinc euog yn 'i lais.

'Ma 'na ddigon o awyr iach i'w ga'l yn yr ardd.'

'Ie, wel . . . ma ishe gweld rhywun arna i.'

'Unrhyw un dwi'n nabod?'

'Na.'

'Pwy?'

'Neb,' atebodd Dad gan ruthro drwy'r drws fel mae'n gneud bob tro ma Mam yn dechre gofyn cwestiyne lletchwith.

'Ble ma dy dad?' holodd Mam wrth iddi hi ac Audrey ddod i mewn i'r tŷ ychydig yn ddiweddarach a gweld nad o'dd e yn 'i safle arferol ar brynhawn Sadwrn.

'Mas,' atebais.

'Wel, ma hynny'n amlwg. Dyw'r car ddim yma. Pam nad yw dy dad o flaen y teledu?'

'Gêm wael.'

'Dyw hynny ddim yn broblem fel arfer.'

''Na beth o'n i'n 'i feddwl.'

'Ddwedodd e pa mor hir fydde fe?'

'Naddo.'

Wfftiodd. 'Be nawr?' gofynnodd i Audrey.

'Ma 'na fws sy'n mynd i'r cyfeiriad yna,' meddai honno. Dyw Audrey ddim yn gyrru.

'Sai'n cofio'r tro dwetha i mi fynd i rywle ar fws,' meddai Mam.

'Ble chi'n mynd?' holais.

'I'r goedwig!' meddai Audrey gan roi un llaw ar 'i chlun a phwyntio'r llall tuag at y golau.

'Ni'n mynd i ymuno â'r protestwyr yng Nghoed Carlwm,' ychwanegodd Mam mewn ffordd llai dramatig.

'Y RHHECHwyr?' holais.

'Pam wyt ti'n mynnu defnyddio'r enw 'na?' holodd Mam.

'*Nhw* ddewisodd yr enw, nid fi. Chi ddim o ddifri? Ymuno â'r criw 'na?!'

'Ma dy fam a fi'n meddwl 'i fod e'n achos da,' eglurodd Audrey. 'Ma 'na goed yn diflannu bob dydd.'

'Ond beth yw'r pwynt?' holais. 'Ma'r tir wedi'i werthu ac ma'r gwaith torri coed yn dechre ddydd Llun.'

'I'r gad 'te!' meddai Mam.

Ar ôl iddyn nhw adael ro'n i'n llwgu, felly bant â fi i'r gegin i chwilio am fwyd. Ro'n i ar fin cydio yn y bisgedi cwstard o ArchFarch pan sylwais nad o'dd derbynnydd y ffôn wedi'i roi 'nôl yn 'i le yn y ffordd ma Mam yn 'i ddymuno. Ffôn henffasiwn sy 'da ni – nid un hen, ond un ffasiynol o hen yr olwg – a phan fydd Dad yn 'i ddefnyddio, fe fydd e'n rhoi'r derbynnydd 'nôl y ffordd anghywir – yn ôl Mam, ta beth! Dwi'n credu 'i fod e'n gneud hynny i gynhyrfu Mam. Ro'n i mor benderfynol o gael rhwbeth i neud nes i fi godi'r derbynnydd a'i droi rownd i'r ffordd gywir, fel y bydde Mam wedi'i neud tase hi'n 'i weld e. Ac ro'n i'n dal i afael ynddo pan gefais i syniad gwych ynglŷn â beth allwn i neud nesa: gwasgu'r botwm i weld pwy o'dd y diwetha i ffonio. Dyma'r sŵn canu'n dechre. Yn sydyn, daeth sŵn gweiddi uchel.

'DIM TORRI'R COED! DIM TORRI'R COED! DIM TORRI'R COED! DIM TORRI'N COED!'

Yna, daeth llais arall o'dd yn trio codi'n uwch na'r sŵn cefndir.

'Helô? Helô! Serena sy 'ma! Bydd raid i chi siarad yn uwch!'

A dyma fi'n rhoi'r ffôn 'nôl yn 'i grud. Y ffordd iawn y tro hwn. Dechreuodd fy nhraed jigio, yna fy nwylo. Sefais yn y stafell fyw yn jigio fel gwallgofddyn wrth i mi brosesu beth o'dd newydd ddigwydd. Ro'dd Dad – a o'dd, am y tro cynta erioed, wedi diflasu ar gêm bêl-droed – wedi cofio am y sgwrs gafodd e yn ArchFarch yn gynharach yn y dydd.

'Pam na wnewch chi ymuno â ni?' holodd y fenyw â'r dannedd sgleiniog a'r blethen yn 'i gwallt.

'Ymuno?' holodd Dad.

'Dyma 'ngherdyn i. Rhag ofn i chi newid 'ych meddwl.'

Ma'n rhaid bod Dad wedi newid 'i feddwl, wedi ffonio'r rhif ar y cerdyn, gwisgo'i sandale ac i ffwrdd ag e cyn gynted ag y dwedodd Serena ble ro'dd hi. Yn y Goedwig.

Ac ro'dd Mam ac Audrey'n mynd ar y bws i'r union goedwig honno.

Ro'dd yn rhaid i mi neud rhwbeth. Nid i achub croen Dad, o'dd yn haeddu popeth ro'dd Mam yn sicr o'i ddweud wrtho neu neud iddo, ond er fy mwyn i fy hun, achos dwi ddim yn hoffi byw yng nghanol rhyfel. Chwiliais yn y llyfr bach du wrth ymyl y ffôn am rif ffôn symudol Dad. Gwasgais y botyme. Canodd y ffôn ddwywaith, ac yna clywais lais wedi'i recordio'n gweud nad o'dd Dad ar gael ar hyn o bryd. 'Diolch!' meddwn i a gollwng y ffôn. Ro'dd e naill ai wedi troi'r ffôn bant neu ro'dd y batri'n fflat. Ro'dd hi ar ben ar Dad. Ro'dd hi ar ben arna i. Ro'dd bywyd yn ein tŷ ni'n siŵr o fod yn hunllef am amser hir iawn!

Pennod Un Deg Chwech

Yr unig beth ro'n i'n gallu'i neud o'dd aros i'm rheini ddod 'nôl gan obeithio na fydden nhw'n cyrraedd ar yr un pryd. Yn y diwedd, dyna be ddigwyddodd. Mam dda'th i mewn gynta. Ro'dd 'i hwyneb hi'n bictiwr – ro'dd yn gwbl amlwg 'i bod hi wedi dal Dad wrthi.

'Dere i mi weld dy fathodyn "RHHECH" di 'te,' mentrais yn siriol.

'Paid â gweud gair,' snapiodd Mam.

'Iawn,' meddwn i'n dawel. 'Be sydd i swper?'

Syllodd yn flin arna i. 'Be?'

'Be sydd i swper?' holais yn dawelach fyth.

'Jigi,' atebodd Mam, ''sdim amser 'da fi i wrando ar dy ddwli di. Be wedest ti?'

'Wel, wedest ti wrtha i am beidio gweud gair,' meddwn i'n uchel y tro hwn.

'Gwed beth o't ti'n weud.'

'Be sydd i swper?'

'Swper?' ebychodd Mam. 'Wyt ti o ddifri? Shwt alli di feddwl am fwyd ar adeg fel hon?'

'Adeg fel be?'

Clensiodd Mam 'i dwylo'n ddyrne wrth 'i hochor. Tynnodd anadl ddofn.

'Dwi 'di anfon dy dad i'r Tsieinîs.'

'Do fe? O'dd pobol Tsiena wedi gofyn amdano fe 'te?'

'I nôl têc-awe,' atebodd mewn llais rhewllyd.

Yn nes ymlaen y noson honno, cefais wbod yn union

be ddigwyddodd drwy sylwi'n fanwl ar y pethe *na* ddywedodd fy rhieni wrth 'i gilydd. Digwyddodd popeth fel ro'n i wedi'i ddychmygu. Ro'dd Dad wedi rhuthro i ddal placard gyda Serena yn y goedwig ac ro'dd Mam a Audrey wedi'i weld wrthi. Dwi'n falch nad o'n *i* yn 'i sgidie fe – ac nid yn unig achos bod 'i draed e'n fwy na fy rhai i. Hanner awr yn ddiweddarach, daeth Dad i'r tŷ'n cario bag papur brown.

'Dwi'n cymryd dy fod ti 'di clywed 'te,' meddai'n drist.

'Yr unig beth dwi 'di clywed yw lot o sŵn bangio lan llofft. Dwi'n meddwl bod Mam yn trio dinistrio'r tŷ. Dwi 'di rhoi'r tsiopstics ar yr hambyrdde'n barod.'

'Tsiopstics?'

'Ar gyfer y têc-awê.'

'Hambyrdde?'

'Dydd Sadwrn. Y penwythnos. Swper o flaen y teledu?'

'O. Ie.'

'Mam,' gwaeddais o waelod y grisie. 'Ma'r silwair 'di cyrraedd!' Ro'n i hanner ffordd i mewn i'r gegin pan sylweddolais i falle nad o'dd Mam 'di deall beth ddwedais i, felly dyma drio 'to.

'Sôn am swper ydw i, nid am Dad!' Cerddais i'r gegin unwaith eto, cyn cael syniad arall. Felly 'nôl â fi i waelod y grisie. 'Ond ma *fe* 'ma hefyd!' O'r diwedd es i 'nôl i'r gegin lle ro'dd Dad yn tynnu'r bocsys bach ffoil allan o'r bag brown.

'Dyw e ddim yn arogli fel bwyd Tsieineaidd,' meddwn i.

'Cyrri yw e,' eglurodd Dad.

'Ro'n i'n meddwl mai i'r Tsieinîs est ti?'

'Cywir. Cyrri o Tsieina yw e.'

'Ydy pobol Tsieina'n bwyta cyrri?'

'Sai'n siŵr, ond ma'n nhw'n gwerthu cyrri yn y têc-awê.'

'Ydy Mam yn gwbod?'

'Bod y Tsieiniaid yn gneud cyrri? Sai'n meddwl bod ganddi fawr o ddiddordeb ar y funud.'

'Ydy hi'n gwbod mai cyrri brynest ti?'

'Sai'n gweld unrhyw broblem. Ma' hi'n hoffi cyrri.'

'Ond nid cyrri o'r Tsieinîs, fel arfer.'

'Beth yw'r gwahaniaeth? Cyrri yw cyrri.'

'Ddim o reidrwydd. Ma 'na bob math o gyrris.'

'Ma'n nhw'n blasu'r un fath i fi,' wfftiodd Dad.

'Ond falle nid i Mam. Dwi'n credu falle dy fod ti mewn hyd yn oed mwy o drwbwl.'

Ochneidiodd. 'Ddim 'to.'

Am yr eildro, ro'n i wedi rhagweld yn union beth o'dd yn mynd i ddigwydd. Ro'dd wyneb Mam yn bictiwr pan roddais lond bocs bach arian o gyrri Tsieineaidd iddi.

'Beth yw hwn?'

'Swper,' atebais.

'Na! *Y bwyd*?'

'Yung Foo Vindaloo.'

'Vindaloo?' holodd Mam.

'Dwi'n meddwl. Ond dwi ddim yn arbenigwr.'

Edrychodd ar Dad. Ro'dd hi'n flin. Yn flin iawn.

'Pam na ddoist ti â bwyd Tsieineaidd go iawn?'

Dechreuodd yntau rolio'i lygaid mewn ffordd go anffodus.

'Wel, ddwedest ti ddim bod yn rhaid i mi ddod â bwyd Tsieineaidd go iawn.'

'Ro'n i'n meddwl byddai hynny'n *hollol amlwg*.'

Plygodd y ddau 'u penne a dechre stwffio'r bwyd yn

ofalus i'w cegau. Do'dd y broses ddim yn edrych yn bleserus o gwbwl. Do'dd y profiad ddim yn bleserus i fi chwaith. Ro'n i wedi anghofio cyfnewid y tsiopstics am ffyrc. Ro'dd y ddau ohonyn nhw'n ishte bob pen i'r soffa â gwagle maint person rhyngddyn nhw. Ro'n inne'n ishte ar gadair tu ôl i'r drws. Ac er 'y mod i bron mas yn y cyntedd, ro'dd hynny'n well na gorfod bod rhwng y ddau ohonyn nhw tra'u bod nhw â'u cyllyll yn 'i gilydd. Neu tsiopstics, ddylwn i weud.

Ro'dd Stallone yn y stafell hefyd, yn gorwedd rhwng y soffa a'r teledu. Cododd 'i gynffon a bwrw'r llawr yn uchel drosodd a throsodd fel rhyw fath o fersiwn gathaidd o gôd Morse. Dwi'n ame mai trio holi 'Ble ma fy Yung Foo Vindaloo i?' o'dd e. Mae'n gneud hyn yn aml – syllu'n llwglyd ar y bwyd sydd ar eich plât chi. Mae'n arfer eitha afiach. Shwt fydde Stallone yn teimlo taswn i'n syllu ar 'i ddysgl e wrth iddo fwyta'i fwyd cath?

Ro'dd sain y teledu wedi'i diffodd, felly do'n i ddim yn gallu clywed dim, ond ro'dd 'na ddyn yn cael 'i gyfweld ar y teledu. Ro'dd gan hwnnw y trwyn mwya blewog ro'n i wedi'i weld erio'd. Ro'dd y blew mor hir a thrwchus nes 'i fod e'n edrych fel tase cefn 'i ben e wedi'i chwythu bant ar ôl iddo fe disian yn rhy galed a bod y gwallt ar gefn 'i ben wedi tyfu mas trwy'i drwyn. Dechreuais feddwl am y peth. Be fyddai'n digwydd tase fe'n cael annwyd? A fyddai'r sneips yn rhedeg dros y blew ac yn sychu? A fyddai'n rhaid i'r dyn dynnu clympie mawr o flew a sneips o'i drwyn? A beth os o'dd hi'n dywydd oer? A fyddai'r blew sneipllyd yn rhewi? A fyddai'n edrych fel tase ganddo bibonwy gwyrdd yn

hongian o'i drwyn? Ro'dd rhain yn gwestiyne pwysig, ond ro'n i'n eitha siŵr *nad* dyma'r math o gwestiyne 'ro'dd y gohebydd yn 'u holi.

Ysgydwais fy hun allan o 'mreuddwyd drwynol. Ro'dd yr holl beth yn dechre troi'n obsesiwn. Ond pam o'dd yr obsesiwn wedi dechre nawr? Ma 'na ffroene ym mhobman. Mae'n amhosib treulio diwrnod heb weld un. Ro'dd 'na wyth ffroen yn y stafell fyw y funud honno – a chyfri Stallone hefyd. Sylwais fod perchennog un pâr (Mam) newydd fwmian, 'Methu cadw dy ddwylo i ti dy hun,' wrth berchennog y pâr arall (Dad) o'dd yn mynd yn wallgo wrth geisio codi gronyn o reis â'i tsiopstic.

'Dychmygu'r holl beth wnest ti,' mwmiodd yn ôl.

'Ddychmyges i ddim byd. Ers pryd wyt ti'n nabod y fenyw 'na?'

'Sai'n 'i hadnabod hi.'

'Ro'dd hi'n d'adnabod di.'

'Ma 'da fi wyneb diddorol.'

'Ac ro'dd ganddi hithe un hefyd. Ro't ti fel rhyw laslanc gwallgo.'

'O, bwyta dy Tsieinîs, wnei di?'

'Tsieinîs?!'

'Cyrri 'te.'

'Cyrri!'

'Alla i ddim gneud unrhyw beth yn iawn, alla i?'

'Wel, ti'n iawn fan 'na,' cytunodd Mam.

'Mae'n eitha blasus,' meddwn i o'r gader tu ôl i'r drws.

Syllodd tri pâr o lyged arna i. Stallone o'dd perchennog un ohonyn nhw.

'Be?'

'Be?'

'Miaw?'

'Y Yung Foo Vindaloo. Mae'n eitha blasus. Braidd yn boeth . . . ond blasus.'

'Bydd dawel,' siarsiodd Mam gan droi at y teledu. Estynnodd y teclyn rheoli o gefn y soffa. 'Dwi ishe clywed yr hysbyseb am yr olew bath 'ma.'

A dyna ni'n ishte'n bwyta'n cyrri ac yn gwylio'r hysbysebion mewn tawelwch. Ond doedd y lle ddim yn dawel am yn hir.

'Ma hyn yn dwp,' meddai Dad ar ôl i ni ddysgu popeth am olew bath, ceir do'dd neb yn gallu'u fforddio, ac yswiriant ar gyfer pobol o'dd ar fin marw. 'Sdim *rhaid* gwylio hysbysebion amser swper!'

'Mae'n well na gorfod gwylio'ch gŵr yn glafoerio dros bob menyw bert mae e'n 'i gweld,' wfftiodd Mam.

Aeth Dad yn wallgo.

'Sawl gwaith sy'n rhaid i fi weud, Serena?! Trio bod yn gyfeillgar o'n i, 'na i gyd! Ers pryd ma bod yn gyfeillgar yn erbyn y gyfreth?'

Aeth Dad yn dawel. Aeth yr holl stafell yn dawel wrth i bawb, gan gynnwys Stallone, syllu ar Dad. Ro'dd hyd yn oed y dynion ar y teledu wedi stopio be roedden nhw'n neud i syllu ar Dad. Edrychai yntau'n nerfus.

'Pam y'ch chi'n syllu arna i fel 'na?'

'Alwest ti fi yn Serena,' eglurodd Mam.

'Be? Naddo, paid â bod yn dwp. Ti'n clywed pethe . . . ac yn dychmygu pethe.'

'Glywes i ti'n 'y ngalw i wrth enw dy fenyw ffansi.'

Rhoddodd Dad 'i tsiopstics i lawr a symud yr hambwrdd i'r ochr fel 'i fod yn pwyso ar un ben-glin yn hytrach na'r ddwy.

Falle bod Dad yn teimlo'n wirion yn dal yr hambwrdd ar 'i ddwy ben-glin. Ond ro'dd un peth yn amlwg. Ro'dd y gair Tsieineaidd am BANIG wedi ymddangos ar 'i dalcen.

'Wnes i ddim,' protestiodd Dad, ond do'dd e ddim yn swnio'n rhy sicr. 'Wnes i ddim.'

'Gwed wrtho fe, Jig,' meddai Mam.

'Sai ishe bod yn rhan o hyn,' meddwn i.

Edrychodd Dad arna i'n bryderus.

'Gwed wrthi, Jig. 'I henw *hi* ddwedes i. Nid enw rhywun arall.'

'Do'n i ddim yn gwrando,' atebais a chodi fy sgwydde fel taswn i'n gweud, ''Na'r gore alla i neud.'

'Diolch o galon – fab annwyl.'

Cododd Mam. ''Na chi, gewch chi wylio be bynnag chi moyn. Dwi 'di colli unrhyw awydd am fwyd.'

Taflodd declyn y teledu 'nôl i gôl Dad. 'YRRRGH!' ebychodd hwnnw wrth i'w benglinie neidio i fyny. Saethodd yr hambwrdd din dros ben ddwywaith cyn syrthio gyda *chlaaang*! ar ben Dad. Llithrodd ei blât i ffwrdd, troi ben i waered, a glanio ar ganol y soffa.

Cerddodd Mam allan o'r stafell yn ffroenuchel gan ddal 'i hambwrdd o'i blaen, wrth i Dad syrthio ar ei linie a cheisio sychu'r cyrri Tsieineaidd oddi ar y soffa â'i lewys. Rywsut yn ystod yr holl halibalŵ, ro'dd teclyn y teledu wedi newid y sianel. Ar y sgrin ro'dd Angharad Mair yn syllu'n fygythiol arna i fel tasen i ar fai am bopeth oedd wedi digwydd.

'Dy fai di yw hyn,' meddai Dad, gan gytuno â Ms Mair wrth iddo godi'r Yung Foo Vindaloo oddi ar y llawr i'r hambwrdd. Neidiodd Stallone i helpu trwy ddefnyddio'i dafod i lanhau'r llanast.

'Fy mai i?' holais. 'Pam, be wnes i?'

'Peidio 'nghefnogi i.'

'Ond allwn i ddim. Ro'dd pawb yn gallu dy glywed di'n berffeth glir – Mam, fi, Stallone, y dynion ar y teledu. Serena ddwedest ti.'

Steddodd yn ôl ar y soffa. 'Do fe?'

'Do. Yn ddigon clir i bawb glywed, gan gynnwys y bobol drws nesa.'

'O, na!'

Edrychodd Stallone i fyny ar Dad fel tase fe'n cydymdeimlo ag e. Er gwaetha'r stêm o'dd yn dod mas o'i glustie, edrychai'n hapusach nag arfer. Stallone, hynny yw. Do'dd Dad ddim yn edrych yn hapus. Mae'n anodd iawn edrych yn hapus ac yn hynod welw ar yr un pryd.

Yn sydyn canodd y ffôn. Ma'r ffôn yn tueddu i neud hynny. Canu'n sydyn, heb unrhyw rybudd. Dyw e ddim yn tincian yn dawel i ddechrau. Do's 'na ddim rhyw sibrydiad bach tawel sy'n awgrymu: 'Dwi ar fin canu, felly peidiwch â chael braw.' Ma'r ffôn yn canu – yn hollol ddirybudd. Mae'n gneud i chi neidio. Ond yn wahanol i Dad, lwyddes i i beidio â thaflu fy hambwrdd i'r awyr.

Atebais y ffôn. 'Dwi'n bwyta!' gwaeddais i mewn iddo.

'Jig, fi sy 'ma'

Anni. Ffonio o'dd hi i weud bod Steff wedi'i ffonio hi i weud bod Sneipen wedi dod yn ôl.

'Wel ffonia'r papure newydd,' meddwn i.

'Dwi ishe i ti gwrdd â ni yn y ganolfan arddio bore fory am ddeg o'r gloch, er mwyn trio darganfod mwy am y plisgyn.'

'Deg o'r gloch ar fore Sul? Dwi ddim yn meddwl! Ma deg y bore'n rhy gynnar o lawer i Jigi ap Sgiw.'

'Os na fyddi di'n barod erbyn ugain munud i, fe fydda i'n dy lusgo di yno yn dy byjamas.'

Rhoddodd Anni'r ffôn i lawr. Sgrifennais nodyn ar fy llaw i osod fy larwm. Dwi'n nabod Anni. A dwi'n gwbod bod yn rhaid i mi gymryd 'i bygythiade hi o ddifri.

Aeth Mam i'r gwely'n gynnar. Mae'n gneud hynny os yw hi'n flin ag un ohonon ni. Gan fod Mam lan llofft, penderfynodd Dad newid i'w dracwisg. Pan gerddais i mewn i'r gegin, cefais sioc fwya 'mywyd wrth weld Capten Abersoch yn syllu allan drwy'r drws.

'Ti'n mynd i redeg?' holais. 'Nawr?'

'Dwi'n ystyried y peth.'

'Ond dyw hi ddim braidd yn hwyr?'

'Dyma'r amser gore. Mae'n dywyll.'

'Pam hynny?'

'Dwi ddim ishe i neb 'y ngweld i.'

'Sdim rhaid i ti fod yn swil, Dad. Nid ti yw'r unig redwr yn y dre 'ma. Dwi'n 'u gweld nhw o hyd – mewn grwpiau o dri, fel arfer.'

'Ti'n iawn,' cytunodd Dad.

'Ydw i?'

'Wel, bant â fi 'te.' Anadlodd yn ddwfn.

Rhedodd i fyny'r llwybr gan edrych i bob cyfeiriad rhag ofn bod ein cymdogion yn cuddio tu ôl i'r biniau â'u camerâu fideo'n barod i ffilmio. Ro'dd goleuade'r stryd yn sgleinio ar 'i dracwisg. Ro'dd e'n edrych fel rhywbeth mas o'r syrcas. Agorodd giât y ffrynt yn dawel a rhedeg i lawr y stryd. Y peth ola weles i o'dd 'i fand chwys afiach e'n diflannu rownd y gornel.

Bum munud yn ddiweddarach ro'n i yn y gegin yn stwffio bisgedi i 'ngheg pan glywais y drws yn agor. Dad o'dd 'na, yn anadlu'n drwm.

'Fuest ti ddim yn hir,' meddwn i.

'Sdim ishe gor-neud pethe, nac oes,' gwichiodd.

Pennod Un Deg Saith

'Jigi, dwi'n mynd mas!' meddai Mam gan wthio drws fy stafell yn llydan agored ar yr union eiliad pan o'n i'n camu i mewn i 'mhants.

Os nad yw hyn wedi digwydd i chi erio'd, credwch chi fi, y peth gwaetha all rhywun 'i neud ben bore – ar yr union foment pan y'ch chi hanner i mewn a hanner mas o'ch pants – yw gwthio drws eich stafell ar agor.

'Ho!' meddwn i, wrth i fys 'y nhroed ddal yn 'y mhants gan achosi i mi gwmpo 'nôl ar 'y ngwely, a llenwi llyged Mam â'r hyn dyw bechgyn ddim ishe i'w mam weld bellach.

Ro'dd hi'n slic. Yn cau'r drws, dwi'n feddwl. Ro'dd 'na saib wrth i mi dynnu fy mhants dros fy nhrysore nad o'dd bellach yn gudd, cyn i mi glywed sŵn cnoc dawel ar y drws. Mam o'dd yno.

'Jig, wyt ti'n barchus nawr?' gofynnodd.

'SDIM OTS O GWBWL OS YDW I'N BARCHUS NAWR!!' sibrydais yn ôl.

Agorodd Mam y drws yn nerfus. Edrychodd i mewn â'i dwylo dros 'i llyged. 'Dwi'n mynd mas,' eglurodd, rhag ofn mod i heb 'i chlywed hi y tro cynta.

Tynnais grys dros 'y mhen. 'Pam ti'n gweud wrtha i?'

'Wel, ro'n i'n meddwl y bydde gan *rywun* yn y tŷ 'ma ddiddordeb yn fy nghynllunie,' atebodd.

'Wel, ti'n anghywir. Cer! A gwna'n siŵr dy fod ti'n anghofio popeth ti 'di'i weld heddi!'

Caeodd y drws yn dawel, fel petai'n meddwl y byddai sŵn drws yn cau yn 'y ngwylltio hyd yn oed yn fwy.

Ro'n i'n sefyll ar stepen y drws rhyw funud ar ôl ugain munud i ddeg yn aros i Anni ganu'r gloch.

Brrrring!

Agorais y drws.

'Chi'n hwyr!'

'Bore da,' meddai'r ddau ddieithryn hwyliog y tu fas.

'Bore da,' atebais innau a chau'r drws yn glep.

'Jig, am beth haerllug iawn i'w neud,' meddai Dad o'r tu ôl i mi.

Camais yn ôl i roi cyfle iddo agor y drws 'i hun. A dyna 'nath e.

'Bore da,' meddai'r ddau ddieithryn hwyliog eto. 'Ydy Duw yn eich bywyd chi, syr?' holodd un ohonyn nhw.

Caeodd Dad y drws.

'Dad, am beth haerllug iawn i'w neud,' meddwn i.

'Do'n i ddim wedi sylweddoli mai nhw o'dd ar ochr arall y drws.'

Arhosais i'r gloch ganu unwaith yn rhagor.

Brrrring!

Agorais y drws.

'Chi'n hwyr!'

'Ro'dd y lwmpyn 'ma'n gwrthod codi,' eglurodd Anni gan fwrw'r ysgwydd agosa ati. Ro'dd honno, dwi'n falch o weud, yn perthyn i Pît. Safai Pît wrth ymyl Anni yn gwisgo het enfawr a edrychai fel tase hi'n perthyn i'w fam-gu.

'Soniest ti ddim byd am wisg ffansi,' meddwn i.

'Mynd i ganolfan *arddio* 'yn ni,' meddai Pît gan rwbio'i ysgwydd efo un llaw, tynnu blaen yr het â'r llall

a cherdded i fyny'r llwybr, i gyd ar yr un pryd. Un dawnus iawn yw Pît, credwch chi fi.

Ar y ffordd i'r ganolfan arddio, dyma ni'n cerdded heibio'r parc. Edrychais i mewn. Ro'dd tri lonciwr yn rhedeg o amgylch y llyn cychod.

'Sdim cartrefi 'da'r bobl 'ma 'te?' holais.

'Falle mai loncian tuag adre ma'n nhw,' awgrymodd Anni.

Cyrhaeddon ni'r ganolfan arddio ac aros i'r drysau awtomatig neud 'u gwaith. Ma'r dryse mor araf yn troi nes mod i'r o'r farn 'u bod nhw'n pwdu â'r byd gan mai 'u hunig swyddogaeth yw agor a chau i bobol drwy'r dydd, bob dydd. Dwi'n gallu deall pam ma'n nhw'n pwdu. Tasech chi'n ddrws awtomatig, dwi'n siŵr y byddech chithe'n diflasu ar fynd *swish swish* drwy'r dydd, bob dydd. Dychmygwch y peth: mae'n ddiwrnod braf ac ry'ch chi'n meddwl wrthych chi eich hun, 'Fydden i wrth 'y modd yn ca'l gêm fach o dennis heddi,' neu 'Tasen i ddim yn y swydd dwp 'ma fydden i'n gallu bod yn ddawnsiwr, neu'n drydanwr, neu'n bwyta hufen iâ ar y traeth.' Dyw bod yn ddrws awtomatig yn fawr o fywyd.

'Ble ni'n cwrdd â Steff?' holodd Pît.

'Yn y ganolfan arddio. A 'na pam ry'n ni fan hyn. Shwt ma'r gwersi gwella-dy-gof yn mynd, Pît?'

'Ond ble yn *gwmws* yn y ganolfan arddio?'

'Wel, 'naethon ni ddim trafod y peth.'

'Mae'n le mawr,' mentrais.

'Bydd Steff 'ma'n rhywle.'

'Hei, drychwch ar y boi 'na,' meddai Pît.

'Pa foi?'

'Yr un o'r goedwig.'

Ro'dd y dyn yn y siaced frethyn yn edrych ar goed ifanc yn yr ardal Coed Ifanc ac yn sgrifennu rhywbeth mewn llyfr nodiadau. Pasio heibio iddo fydden ni wedi'i neud, oni bai iddo godi'i ben a dechre siarad â ni.

'Chi'ch tri,' meddai'r dyn.

'Chi'ch . . . un,' meddais.

'Siopa am goed?' holodd Anni.

'Gneud un neu ddwy o syms.'

A dyna ddiwedd y sgwrs.

'Hwyl 'te!' medden ni ar 'i ôl.

A bant â ni. Do'dd dim sôn am Steff. Ro'dd digon o bethe byw â phrisie arnyn nhw, ond dim golwg o Steff.

'Fe alle hi fod yn unrhyw le,' awgrymodd Pît.

'Paid cwyno,' meddai Anni.

'Sai'n cwyno, 'mond gweud y galle Steff fod yn unrhyw le.'

'Wel, paid.'

Yn sydyn, camodd llwyn mawr mas o rywle. 'Be chi'n neud fan hyn?' holodd y llwyn.

'Sai'n siarad â phlanhigion rhyfedd,' atebais.

Gwthiodd Mam 'i phen mas o ganol y dail. 'Soniest ti ddim gair am ddod fan hyn, Jig.'

'Na tithe chwaith.'

'Be ti'n feddwl o'r Aderyn Paradwys 'ma?'

'Pa Aderyn Paradwys?'

Siglodd y planhigyn mawr yn 'i dwylo. 'Hwn.'

'Dwi'n gwbod dy fod ti'n mynd yn hen, a bod dy olwg di'n dechre mynd,' meddwn i, 'ond os wyt ti'n meddwl mai aderyn yw hwnna, mae'n well i ti fynd at yr optegydd yn go sydyn!' Ffliciais un o ddail y planhigyn. 'Deilen, nid pluen. Edrych!'

'Alli di ddim gweld pam ma'n nhw'n galw'r planhigyn 'ma'n Aderyn Paradwys?'

'Na allaf.'

'Fe alla i,' meddai Anni.

'Elli di?' holais.

'Ma unrhyw dwpsyn yn gallu gweld.'

'Ond nid y twpsyn 'ma.'

'Na hwn chwaith,' ychwanegodd Pît.

'Drychwch ar y planhigyn,' siarsiodd Anni.

'Ro'n i'n meddwl ein bod ni,' meddwn i.

'Drychwch yn fanwl.'

Safodd Pît a minne'n ôl ac edrych ar y planhigyn o ddifri. Ro'dd ganddo ddail siâp gwaywffyn a brigau hir gwyrdd yn tyfu allan ohonyn nhw. Ro'dd pen pob brigyn yn felyn ac yn dod i ryw bwynt, yn debyg iawn i big. Uwchben y pig ro'dd 'na ddail coch a phorffor fel rhyw fath o blu.

'Wrth gwrs. Aderyn Paradwys. Gwych.'

'Mae e'n edrych fel planhigyn i mi,' cytunodd Pît.

'Pob twpsyn ond un,' meddai Anni.

Aeth Mam i siopa am ragor o blanhigion ac aethon ni i chwilio am Steff. O fewn munud, dyma ni'n gweld yr Honc yn yr adran dodrefn gardd, yn ishte ar un o'r cadeiriau siglo 'na â chanopi dros 'i phen.

'Trwyn yn rhedeg?' holodd Pît.

'Ydy,' meddai Steff â gwên ar 'i hwyneb. 'Bydd Sneipen yn dod am damaid toc.'

Er ei bod yn ddiwrnod cynnes, ro'dd 'i chot wedi'i chau dros y bwmp. Agorodd hi am ychydig. Yno ro'dd pâr o lyged yn syllu mas.

'Helô, hyllbeth,' meddai Pît.

Estynnodd Sneipen am ên Steff a thynnu'i hun i fyny'i hwyneb fel rhyw fath o fynyddwr bach crwn. Llyfodd wefus ucha Steff. Gwenodd hithe. Gwenodd Anni 'fyd. Do'dd dim awydd gwenu arna i. Nag ar Pît chwaith. Stwffiodd hwnnw'i fysedd i lawr 'i wddf. Am unwaith ro'n i'n cytuno. Dwi erioed 'di deall shwt ma pobol yn gallu diodde ca'l 'u llyfu gan 'u hanifeiliaid anwes. Pobol â chŵn sy waetha. Ma hyd yn oed dynion mawr *macho* yn troi'n jeli yr eiliad ma'u cŵn bach nhw'n dechre llyfu'u hwynebe, tua dwy eiliad ar ôl bod yn llyfu'u rhanne preifat. Dwi'n gorfod edrych bant. Dwi ddim ishe hyd yn oed meddwl am y peth.

'Shwt ges ti hi 'nôl?' holais wrth i Sneipen neidio i mewn i'r plisgyn.

'Es i i'r tip sbwriel,' eglurodd Steff.

'I'r Cetyn.'

'Ie, i'r Cetyn. Ac ma'n rhaid 'i bod hi wedi 'ngweld i, achos yn sydyn dyna ble ro'dd hi, yn neidio lan a lawr yn sugno 'nhrwyn i.'

Mwythodd Sneipen, a o'dd yn syllu arni ac yn canu grwndi'n gariadus.

'Reit, 'na ddigon o siarad! Be am i ni fynd i weld beth yw'r plisgyn 'ma er mwyn i ni ga'l mynd adre?' awgrymodd Pît o dan gysgod het 'i fam-gu.

Am yr eildro ro'n i'n cytuno ag e – ac ma cytuno â Pît gynifer â hynny o weithie'n beth anarferol iawn. Y gwir yw, do'dd dim modd gweud pwy o'dd yn whilibowan o gwmpas y lle yn y ganolfan arddio. Falle bod Bryan Ryan neu rywun arall wedi'n dilyn ni ac yn prysur dynnu llunie ohonon ni yng nghanol merched a phlanhigion.

'Dwi'n difaru peidio gwisgo het,' meddwn i gan lygadu het Pît yn eiddigeddus.

Tynnodd yntau flaen 'i het i lawr ymhellach fyth a cherdded yn 'i flaen. 'Ma'n rhaid paratoi ar gyfer bob achlysur, Jig. Cred ti fi.'

Dyna o'dd 'i eirie ola fe cyn iddo gerdded yn syth i mewn i bostyn lamp.

Pennod Un Deg Wyth

Cydiodd y merched yn yr awene, fel ma merched wastad yn tueddu i neud, a dilynodd Pît a minnau nhw, fel ry'n ni wastad yn tueddu i neud. Cerddodd y ddau ohonon ni rhyw gam neu ddau y tu ôl i'r merched rhag ofn i bobl feddwl ein bod ni gyda nhw, ond ddim yn rhy bell y tu ôl i'n rhwystro rhag clywed eu sgwrs. Holodd Anni sut ro'dd y brotest wedi mynd, ac atebodd Steff drwy weud bod popeth wedi mynd yn iawn, ond bod y cwbwl yn ofer gan fod y datblygwyr yn bwriadu dechre ar y gwaith y diwrnod canlynol.

'Fawr o hwyl, sefyll yn y goedwig heb siawns o newid unrhyw beth,' meddai Anni.

'Wel, gawson ni dipyn o hwyl ddoe,' aeth Steff yn 'i blaen. 'Da'th rhyw ffŵl canol oed mewn sandale aton ni a dechre glafoerio dros Mam a gofyn a gâi e ddal 'i phlacard hi.'

'Dy . . . fam?' holais.

'Ie,' atebodd Steff gan droi a dechre cerdded am yn ôl. 'Wedyn, dyma gwraig y dyn yn cyrra'dd gyda rhyw ffrind iddi ac yn colli'i limpyn yn llwyr!'

'Swnio'n ddoniol iawn,' meddwn i'n dawel.

'Daeth yr holl beth â gwên i wyneb pawb.'

O'n blaene ni ro'dd caban bach ac arwydd arno – CYNGOR AR ARDDIO. Cerddodd Steff ac Anni i mewn. Ro'dd y caban yn llawn silffoedd yn drwm o lyfre garddio a phosteri o enwogion byd garddio ar y teledu. Ro'dd yna

ddesg â phentwr mawr o bapur arni a phaned o de oer â phryfyn marw'n arnofio ynddi. Ond yn anffodus, do'dd 'na neb wrth law i roi cyngor ar arddio.

'Be am i ni edrych droston ni'n hunen,' awgrymodd Steff.

Ro'dd hi wedi stwffio Sneipen o dan 'i chot wrth i ni gerdded drwy'r ganolfan, ond gan fod neb yn y caban agorodd y sip unwaith 'to er mwyn gadael Sneipen yn rhydd. Eisteddodd yn syllu ar drwyn Steff gan ganu grwndi'n dawel.

Ro'dd gan Anni lyfr yn 'i dwylo. 'O dan ba bennawd ddylen ni edrych?'

'Plisgyn?' awgrymodd Steff.

Ro'dd y ddwy ohonyn nhw'n dal i chwilio am y gair plisgyn yng nghefn y llyfr pan gerddodd rhywun i mewn. Menyw yn 'i thridege, yn gwisgo bathodyn melyn ac enw'r ganolfan arddio arno mewn glas.

'Alla i helpu?'

'Ife chi yw'r arbenigwr yn y lle 'ma?' holodd Anni wrth i Steff droi'i chefn a stwffio Sneipen yn ôl dan 'i chot.

'Mae'n dibynnu os mai ishe holi am arddio 'ych chi.'

'Ry'n ni'n trio ffeindio o ba blanhigyn ma . . . hwn yn dod.'

Arhosodd Anni i Steff gau'i chot yn iawn cyn dangos y plisgyn o'dd yn hongian o amgylch 'i gwddf.

Sylwodd arbenigwr garddio'r ganolfan arddio ar y bwmp o'dd gan Steff o dan 'i chot ac edrychodd o'i chwmpas rhag ofn ein bod wedi dwyn rhwbeth. Ar ôl iddi weld bod popeth yn dal yn 'i le, edrychodd ar y plisgyn.

'Dwi erio'd wedi gweld rhwbeth fel hyn o'r bla'n. O ble dda'th e?' gofynnodd.

'Anrheg gan Mam-gu,' eglurodd Steff. 'Dwi ddim yn siŵr o ble gafodd Mam-gu e, chwaith.'

Daeth aelod arall o'r staff i mewn. Ro'dd e'n edrych yn gwmws fel y fenyw heblaw am y ffaith bod lliw 'i wallt e'n wahanol, a'i fod e'n fyr ac yn gwisgo sbectol.

'Ti erio'd wedi gweld rhwbeth tebyg i hwn, Bernie?' holodd yr arbenigwraig.

Tynnodd Steff y plisgyn a'i roi i Bernie. Agorodd llygaid Bernie yn fawr. 'Jiw, jiw!' meddai gan droi'r plisgyn rhwng 'i fysedd. Aroglodd y tu mewn. Dechreuodd 'i drwyn redeg yn syth. Dechreuodd y bwmp o dan got Steff symud. Trodd i ffwrdd gan lapio'i chot yn dynn amdani. Syllodd yr arbenigwraig yn syn ar Steff.

'Beth yw hwnna?'

'Cath fach.'

'Sdim anifeiliaid anwes i fod yn y ganolfan.'

'Sori. Do'n i ddim yn sylweddoli hynny. Dwi'n addo'i chadw dan 'y nghot.'

Daliodd Bernie y plisgyn i fyny at y golau. 'Dwi ddim wedi gweld un o'r rhain ers blynyddoedd lawer,' meddai.

Edrychodd pawb ar 'i gilydd.

'Chi wedi gweld un o'r bla'n 'te?' holodd Anni.

'Dwi'n cofio gweld llwyth ohonyn nhw un tro. Yng Nghoed Carlwm. Wyau sblat ro'n i'n 'u galw nhw'r dyddia hynny.'

'Wyau . . . sblat?'

Edrychodd arnom. Ro'dd 'na ddiferyn enfawr o lysnafedd yn hongian o'i drwyn. 'Ie. Ro'n i a'm ffrindie'n mynd ar helfeydd sblatio, ac os oedden ni'n ffeindio un, fe fydden ni'n neidio ar 'u penne nhw.'

'*Wy* yw e 'te?' holodd Steff gan gymryd y plisgyn yn ôl.

'Ie. Beth o'ch chi'n feddwl o'dd e?'

'Dim syniad.'

'Dyw e ddim yn edrych fel wy,' meddai Anni.

'Ond wy yw e.'

'Pam o'ch chi'n neidio ar 'u penne nhw?'

Gwenodd Bernie. 'Wel, bechgyn oedden ni.'

Syllodd Anni ar Pît a fi. 'Dwi'n gwbod yn iawn shwt ma *bechgyn* yn gallu bod,' meddai.

'Dwi erio'd 'di neidio ar ben wy,' protestiais.

'Na finne chwaith,' ychwanegodd Pît. 'Ga i weld?'

Daliodd Steff yn dynn yn y plisgyn wy.

'Pam 'u galw nhw'n wye sblat?'

'Achos os o'ch chi'n neidio ar 'u penne nhw, bydde'r holl stwff gwyrdd 'ma'n dod mas ohonyn nhw. Ro'dd yn rhaid neidio o'r ffordd yn gyflym neu bydde'r stwff yn mynd dros 'ych coese chi i gyd. Ac ro'dd e'n hen stwff drewllyd 'fyd. Aethon ni ag un i'r ysgol unwaith a safodd Dylan Ryan ar 'i ben e yn y stafell ddosbarth, a . . .'

'Ryan?'

'. . . ac ro'dd y drewdod mor ofnadw, ro'dd yn rhaid gwagio'r stafell. Gymerodd hi wthnos i gael gwared â'r drewdod.'

'Ma'ch trwyn chi'n rhedeg,' meddai Pît.

'Wps!' ebychodd Bernie gan dynnu'i hances o'i boced. 'Anghofies i am hynny. Ro'dd eich trwyn chi'n rhedeg bob tro fyddech chi'n mynd yn agos atyn nhw.'

'Pam hynny?' holodd Steff gan sychu'i thrwyn hithe.

'Ffordd o'i amddiffyn 'i hun,' eglurodd Bernie drwy'i hances. 'Rhyw gemegyn yn yr wy sy'n effeithio ar unrhyw ysglyfaeth.'

'Wna'th e mo'ch rhwystro chi rhag ymosod arnyn nhw,' meddai Anni.

Gwthiodd 'i hances yn ôl i'w boced. 'Ma plant yn gneud pethe dwl weithie. Fasen i byth yn gneud rhwbeth fel 'na heddi.'

'Falch o glywed.'

'O'dd yr wye'n torri'n rhwydd wrth neidio ar 'u penne nhw?' holais.

'Nac oedden. Ro'dd rhaid i chi ddod i lawr arnyn nhw'n galed 'da'ch sawdl. Weithie, byddai'n rhaid gneud hynny ddwywaith neu dair cyn i'r wy dorri. Nid plisgyn wy arferol sydd ar y pethe 'na.'

Erbyn hyn, ro'dd yr arbenigwraig wedi mynd y tu ôl i'r ddesg i edrych mewn llyfr ac esgus nad o'dd hi'n gwrando. Ro'dd hi'n edrych braidd yn flin gan ein bod ni'n llenwi'r caban ac yn trafod pethe o'dd yn ddim byd i neud â phlanhigion.

'O'dd 'na unrhyw wye ar ôl erbyn i chi orffen sblatio?' o'dd cwestiwn nesa Pît. Cwestiwn eitha synhwyrol o gofio pwy o'dd yn holi, er 'i bod hi'n anodd gwbod os mai ishe gwbod am yr wye o'dd e, neu gofyn os o'dd rhai ar ôl iddo fedru'u sblatio nhw 'i hunan.

'O'dd, siŵr o fod,' atebodd Bernie. 'Do'dd dim prinder ohonyn nhw. Tase chi'n sblatio swp ohonyn un noson, fe fydde 'na rai er'ill wedi cymryd 'u lle nhw erbyn trannoeth. Ond un noson ro'dd 'na hen wraig yn aros amdanon ni ac fe redodd ar ein hole ni â ffon fawr yn 'i llaw, y tro nesa aethon ni ar helfa wye, doedden ni ddim yn gallu ffeindio'r un ohonyn nhw.'

'Hen wraig?' holodd Steff.

'Yn byw yn y goedwig. Ro'dd hi'n fach ond yn flin.

Dwi erioed 'di cael gymaint o ofn. Ro'dd pawb yn credu mai gwrach o'dd hi.'

'Ai hi guddiodd yr wye falle?'

'Siŵr o fod. Weles i fyth un arall ar ôl iddi redeg ar ein hole ni.'

'Welsoch chi erio'd beth o'dd *yn* yr wye?' holodd Pît.

'Heblaw am y stwff gwyrdd, naddo. Wnes i erioed feddwl edrych. Dwi'n siŵr y bydde 'da fi fwy o ddiddordeb erbyn hyn.'

'Oeddech chi'n tisian wrth fynd yn agos at yr wye?' holodd Steff.

'Tisian. O, oedden. Ond nid unrhyw disian cyffredin o'dd e. Ro'dd y rhain yn honciade go iawn. A phob tro roedden ni'n honcian bydde'r stwff 'ma'n saethu o'n trwyne a . . .'

'Bernie!'

Caeodd Bernie ei geg a throi at yr arbenigwraig. Ro'dd hi'n syllu arno'n flin.

'Paid â llenwi penne'r plant â'r holl rwtsh 'na.'

'Falle bod ti'n iawn.'

Pwysodd Anni ymla'n. 'Rwtsh? Ife 'na beth yw dy stori di?'

Edrychodd Bernie'n slei dros 'i ysgwydd a sibrwd, 'Dewch mas 'da fi.'

Felly, mas â ni – pawb ond yr arbenigwraig. Ar ôl i ni gerdded chydig bellter o'r caban, gofynnodd Steff i Bernie a o'dd e erio'd wedi gweld unrhyw lunie yn y sneips. Agorodd llyged Bernie mor fawr â soseri.

'Chi'n gwbod am y llunie?'

'Dwi'n tisian weithie . . .' eglurodd Steff, 'tisian yn uchel iawn . . .'

'Honcio,' eglurais.

'A phob tro dwi'n tisian – honcio – dwi'n gweld pethe yn y sneips. Ry'n ni i gyd yn gweld pethe.'

'Nid pawb,' ychwanegodd Pît.

'Ma ishe i ni siarad am un neu ddau o bethe,' meddai Bernie. 'Be am i ni ffeindio rhwle i ishte?'

Pennod Un Deg Naw

Dyma ni'n cerdded heibio ffynhonne Siapaneaidd, slabie pafin amryliw, a phentyrre o botie a sticeri SÊL drostyn nhw i gyd, i ardal dawel yn llawn llewod carreg, corachod carreg, draenogod carreg ac ambell dduwies garreg. Ro'dd 'na hyd yn oed fainc garreg yno. Dwedodd Bernie y gallen *ni* eistedd arni ond fel un o'dd yn gweithio yn y ganolfan arddio do'dd dim hawl ganddo fe neud, heblaw pan fyddai'n amser egwyl arno.

Dyma ni'n gofyn pa fath o lunie ro'dd e a'i ffrindie wedi'u gweld yn y sneips.

'Pethe drwg,' eglurodd. 'Wastad rhwbeth gwael. Dim byd angheuol, ond digon gwael – cwmpo dros wreiddyn, cael eich g'lychu gan law, cael eich erlid gan hen wraig a phethe fel 'ny. Ac wedyn bydde'r pethe hynny'n digwydd, yn gwmws fel yn y llunie. Ai dyna'ch profiad chi hefyd?'

'Eitha tebyg,' meddai Steff.

'Unrhyw syniad pam?' holodd Anni.

'Yr wye,' atebodd Bernie. 'Dull arall o amddiffyn 'u hunen. Dyna'r unig esboniad alla i feddwl amdano. Os allan nhw neud i'ch trwyne redeg, falle'u bod nhw'n gallu datgelu rhwbeth sy'n mynd i ddigwydd yn y dyfodol ac yna neud i'r peth yna ddigwydd.'

'Ond pam rhwbeth gwael?' holais.

'I godi ofn arnon ni. 'N cadw ni i ffwrdd. Ma byd natur yn llawn creaduriaid rhyfedd. Ma'r scync yn troi'i

ben-ôl at ddieithriaid ac yn saethu hylif afiach drostyn nhw . . . ma rhai madfallod yn newid 'u lliw . . .'

'Shwt anifail fyddai'n byw mewn wy fel hyn?' holodd Steff.

'Cewch chi weld yn ddigon buan.'

'Pam?!'

'Am fod hwnna ar fin deor.'

'Deor?'

'Edrychwch.'

Edrychodd pawb ar yr wy. Ro'dd crac bach tene wedi dechre ymddangos yn yr wy, a dechreuodd rhyw stwff gwrdd ddiferu allan ohono. Dechreuodd trwyne pawb redeg. Ro'dd 'na lot o sniffian hefyd.

'Well i ni fynd i rywle chydig yn saffach,' awgrymodd Steff. 'O olwg *rhai* pobol.'

'Fydden i ddim yn niweidio 'run ohonyn nhw nawr,' eglurodd Bernie. Ro'dd e'n amlwg yn difaru'r hyn ro'dd e a'i ffrindie wedi neud erstalwm.

'Mae'n rhy hwyr i'r rhai laddoch chi,' meddai Steff gan godi ar 'i thra'd. Cerddodd bant â'r wy mewn un llaw, a'r llaw arall yn dal Sneipen dan 'i chot.

'Diolch am yr holl gyngor,' meddai Anni.

'Pleser,' medde Bernie. 'Ddewch chi 'nôl rywbryd i weud beth ddaeth mas o'r wy?'

'Wrth gwrs.'

Ond wnaethon ni ddim.

Ro'dd Steff yn sefyll o dan fasged yn llawn blode pan ddalion ni i fyny â hi. Ro'dd hi'n syllu ar yr wy. Ro'dd Sneipen yn syllu ar yr wy hefyd. Erbyn hyn, ro'dd y crac yn yr wy wedi lledaenu. Ro'dd trwyn Steff yn dal i redeg, ond dangosai Sneipen fwy o ddiddordeb yn yr wy.

'Be ddylen ni 'i neud â'r wy?'

'Ei roi e ar y llawr?' awgrymodd Pît.

'Pam?'

Dechreuodd neidio i fyny ac i lawr fel petai'n sathru ar rwbeth.

'Twpsyn, Garret,' wfftiodd Anni.

'Dim ond jôcan ydw i,' meddai Pît.

'Wel, os nad oes unrhyw beth gwell 'da ti i'w weud, cer o 'ma!'

'Dim problem,' meddai Pît. 'Byddai'n bleser.'

'Heddwch o'r diwedd!' ebychodd Anni.

'Trio bod yn gyfeillgar o'n i trwy ddod gyda chi. Ti wir yn meddwl mod i ishe hala amser 'da dwy ferch mewn siop sy'n gwerthu blode? Dere, Jig.'

'Dwi ishe gweld be sy'n dod mas o'r wy,' meddwn i.

'Sori,' meddai Pît eto. '*Tair* merch mewn siop sy'n gwerthu blode.'

Cerddodd bant â'i ddwylo yn 'i bocedi gan gicio graean mân ar hyd y llwybr. Gwyliodd Steff, Anni a minnau ein hen ffrind yn mynd drwy'r dryse awtomatig araf ac yna anghofion ni amdano fe'n llwyr.

'Dyw e ddim yn drewi o gwbwl,' meddai Steff gan arogli'r wy. 'Ddwedodd y dyn bod yr wye'n drewi'n ofnadw.'

Syrthiodd dau ddiferyn mawr o stwff gwyrdd ar 'i llaw. Ro'dd Sneipen yn dal i syllu ar yr wy.

'Falle mai ar ôl ca'l 'u sathru ma'n nhw'n drewi,' awgrymodd Anni. 'Fel rhyw fath o gosb.'

'Well i mi fynd ag e adre i'w gadw'n gynnes,' meddai Steff.

'Ydy hynny'n ddoeth?' holais. 'Sdim syniad 'da ni be

ddaw mas. Falle mai rhwbeth fel . . . sai'n gwbod . . . llygoden fawr?'

'Ooooo,' meddai Steff. 'Llygoden fawr fach ciwti-ciwt.'

Cerddodd y tri ohonom at yr allanfa. Ro'dd rhai o weithwyr y ganolfan yn edrych arnom braidd yn od gan fod Steff wedi stwffio Sneipen yn ôl dan 'i chot. Wrth fynd drwy'r dryse, stopiodd Steff yn ei hunfan.

'Cuddiwch!' gwaeddodd.

'Pam?'

Erbyn hyn, ro'dd hi'n cuddio y tu ôl i blanhigyn.

'Peidiwch gad'el iddo'ch gweld chi!'

Ymunodd Anni a fi â hi y tu ôl i'r planhigyn.

'Pwy?'

'Fe.'

Ro'dd 'na sawl 'Fe' posibl yr ochr arall i'r planhigyn. Cwsg-gerdded y tu ôl i'w gwragedd yn gwthio trolis yn llawn planhigion o'dd y mwyafrif ohonyn nhw. Ro'dd y dyn yn y siaced frethyn o'r goedwig yno hefyd.

'Dewch,' gorchmynnodd Steff eto, 'ond cadwch eich penne lawr.'

Wrth i ni adael y ganolfan, ro'dd gan Anni gwestiwn: 'Jig, ife dy dad di yw hwnna?'

Ro'dd yn amhosib peidio sylwi ar y dracwisg borffor a'r band chwys lliwgar. Dyna ble ro'dd e'n bownsio o gwmpas y lle fel rhyw byped â'i linynne wedi torri.

'Dwi erioed wedi gweld y dyn 'na yn 'y mywyd o'r bla'n!' mynnais.

Ar y ffordd 'nôl i dy Steff agorodd y crac yn yr wy ychydig yn lletach.

'Ma 'na rwbeth tu mewn,' meddai Steff gan syllu i grombil yr wy. 'Ma rhwbeth yn symud.'

Roedden ni'n cerdded heibio'r parc ar y pryd, felly fe benderfynon ni stopio wrth ymyl rhyw fainc. Do'dd 'na neb o gwmpas, felly agorodd Steff 'i chot a gosod Sneipen ar 'i phenglinie. Llyfodd y creadur 'i wefuse, ac er bod trwyne pawb yn rhedeg, eisteddodd Sneipen yn dawel gan syllu ar yr wy. Dechreuodd neud rhyw syne bach rhyfedd, fel *cw-cw-tica-tic*.

Yn sydyn, agorodd yr wy. Llifodd stwff gwyrdd dros ddwylo Steff, ond nid cymaint ag yr o'dd Bernie wedi'i ddisgrifio, chwaith. Ac yn wir, *ro'dd 'na* greadur tu mewn i wy Steff. Creadur byw. Edrychon ni i mewn a gweld rhwbeth bach gwyrdd yn trio agor 'i lyged.

'Babi Sneipen yw e!' sibrydodd Steff, Anni a minne ar yr un pryd.

'*Prp-prpprpr-cicicicicicicicicw*,' meddai Sneipen fawr.

Ma'n rhaid bod Sneipen yn gwbod mai wy o'dd y peth am wddw Steff, ac wedi bod yn aros iddo ddeor. Dyna pam ro'dd Sneipen wedi bod yn dilyn Steff – er mwyn bod yn agos at yr wy. Ro'dd hyn hefyd yn esbonio pam fod y creadur mor falch o weld yr wy, a pham 'i fod e'n gallu ishte arno. Wy Sneipen, pen-ôl Sneipen: ffitio'i gilydd fel jig-so.

Ro'dd Sneipen yn bownsio lan a lawr ar goes Steff. Bwmp-bwmp-bwmp-bwmp. Dechreuodd lyfu'r stwff gwyrdd oddi ar Sneipen fach. Yna, ar ôl glanhau'r babi . . .

'Drychwch,' meddai Steff yn dawel. Gosododd Sneipen yr un bach mewn poced bitw o'dd wedi agor o dan 'i cheg.

'Fel cangarŵ,' meddwn i.

'Yn gwmws . . .'

Syllodd y tri ohonon ni ar y ddau greadur o'dd mor debyg i gangarŵs ag y ma brws dannedd trydanol yn debyg i hofrennydd. Meddai Steff, 'Dwi'n meddwl y dylen ni fynd 'nôl i Goed Carlwm. Dyna ble ro'dd Bernie wedi dod o hyd i'r wye. Falle mai dyna o ble daeth hwn. Falle mai o'r goedwig ma Sneipen a'r wy wedi dod. Falle mai dyna'u cartre nhw.'

'Dyna *o'dd* 'u cartre nhw,' pwysleisiodd Anni. 'Ma'n nhw'n torri'r goedwig i lawr fory. Mewn chydig wythnose bydd y lle'n llawn cartrefi . . . ond fydd dim cartre yno i Sneipen.'

Rhoddodd Steff y ddau greadur bach i ishte ar y fainc er mwyn sychu'r stwff gwyrdd oddi ar ei dwylo. 'Awn ni â nhw 'ta beth,' meddai Steff.

Pennod Dau Ddeg

Stopiodd ein trwyne redeg tua'r un adeg ag yr agorodd yr wy. Doedd neb yn cwyno am hynny. Rhoddodd Steff ddwy ran y plisgyn yn 'i bag, a chario Sneipen y tu mewn i'w chot rhag i neb 'i gweld. Ro'dd Sneipen fach yn y boced o dan geg Sneipen fawr. Bob hyn a hyn ar y ffordd i'r goedwig byddai Steff yn stopio i neud yn siŵr 'u bod nhw'n iawn. Edrychodd y ddau greadur i fyny arnon ni. Ro'dd Sneipen fawr yn canu grwndi'n hapus.

'O, 'na neis,' meddai Steff.

'Ie,' cytunodd Anni.

Gwenais innau.

Roedden ni ryw chwarter milltir o Goed Carlwm pan glywon ni sŵn injan llif.

'Na!' llefodd Steff. 'Allan nhw ddim!'

Dechreuon ni gyflymu'n camau. Pan gyrhaeddon ni'r goedwig, ro'dd hanner dwsin o ddynion mewn helmede wrthi'n llifio'r coed. Ro'dd pedair coeden wedi cwympo'n barod.

'Ond doedden nhw ddim i fod i ddechre tan 'fory,' protestiodd Steff.

'Ma'n nhw wedi dechre ddiwrnod ynghynt er mwyn twyllo pawb,' meddwn i. 'Pan gyrhaeddith y RHHECHwyr a'u harwyddion fory, fydd 'na'r un goeden ar ôl!'

'Wel, am hen dric sâl,' meddai Anni.

'Tase hon yn stori yn hytrach na bywyd go iawn,' meddwn i, 'dyma pryd fydde'r arwyr – ni, yn yr achos

hwn – yn rhuthro i lawr a gneud rhwbeth clyfar iawn er mwyn trechu'r oedolion twp ac achub y dydd! A bydde 'na ddiweddglo hapus a phawb yn ein canmol ni, gan gynnwys ein rhieni. A bydde pawb yn crio mewn llawenydd ac yn cofleidio'i gilydd, a'r adeiladwyr cas yn diflannu am byth!'

'O, ca' dy geg, Jig,' meddai Anni.

Nid ni o'dd yr unig rai o'dd yn gwylio'r olygfa hon. Ro'dd 'na ddyn newydd ddod allan o'i gar mawr. Ein ffrind yn y siaced frethyn eto. Cododd 'i law.

'Mae hyn fel byw gyda chysgod,' meddwn i gan amneidio arno.

'Mam. Gwrandewch . . .'

Trodd Anni a minnau at Steff. Ro'dd hi ar 'i ffôn symudol.

'Dwi yn y goedwig. Ma'n nhw 'di dechre torri'r coed. Be ddylen ni neud? Ffonia 'nôl, glou! Gwell fyth, casgla bawb at 'i gilydd a dere draw yma.' Gwasgodd fotwm ar 'i ffôn. 'Dwi'n casáu gadael negeseuon ar 'i ffôn hi. Dwi wastad yn gweud wrthi am beidio'i droi e bant, ond ma hi'n gneud hynny o hyd – "er lles yr amgylchfyd" – medde hi. "Ydy troi eich ffôn bant yn mynd i achub yr amgylchedd?" o'dd 'y nghwestiwn nesa i. "Tase pawb yn meddwl yr un fath â ti fydde 'na ddim byd ar ôl 'da ni".'

'Mamau,' meddwn i. 'Ma'n nhw i gyd yn wallgo.'

'Wel, dwi ddim yn mynd i sefyll fan hyn yn gneud dim byd,' meddai Steff. Caeodd 'i chot yn dynn i rwystro Sneipen a'r babi rhag dianc a cherdded tua'r goedwig yn gweiddi, 'Stop! Stop! Stop!'

Cododd un neu ddau o'r dynion 'u penne wrth iddi nesáu, ond dal ati i lifio wna'th y lleill. Ma'n siŵr nad

oedden nhw'n gallu'i chlywed dros yr holl sŵn. Ond stopiodd y rhai o'dd wedi codi'u penne. Ro'dd Anni a minne chydig bellter i ffwrdd, a doedden ni ddim yn gallu clywed beth o'dd yn cael 'i weud, ond ro'dd Steff yn chwifio'i breichie yn yr awyr ac yn stampio'i thraed. Safodd y dynion yn llonydd, yn aros iddi orffen.

'Chware teg iddi hi,' meddai Anni.

'Ie,' meddwn i. 'Man a man i ni adael iddi.'

'Gadael iddi? Be . . . troi ein cefne arni?'

'Yn gwmws! Dere!'

Dechreuais gerdded i ffwrdd.

'Jigi ap Sgiw, dere 'nôl fan hyn ar unwaith!'

Ac fe ddes i 'nôl ar unwaith. Cerddodd Anni a minnau tuag at Steff.

'Ma 'da ni waith i'w neud,' meddai un o'r dynion wrth Steff. 'Allwn ni ddim stopio jyst achos bo' ti'n gweud wrthon ni.'

'O, dwi'n gweld,' atebodd Steff. 'Felly chi'n ddigon hapus ennill arian mowr yn dinistrio coedwig sy wedi bod fan hyn ers canrifo'dd, ydych chi?'

'Ma'n nhw'n talu cyflog dwbl ar ddydd Sul,' ychwanegodd un o'r dynion eraill.

'A dy'n nhw ddim yn ein talu ni i fod yn segur,' ychwanegodd y dyn cynta, gan edrych ar ein ffrind yn y got frethyn o'dd yn gwylio'r cyfan.

Estynnodd y dyn am 'i lif, a chyn troi'r peiriant 'mlan meddai, 'Cerwch o 'ma! Dyw'r lle 'ma ddim yn saff i blant. Ewch!'

Taniwyd peiriant y llif eto. Ceisiodd Steff weiddi dros y sŵn, ond ro'dd yn amhosib. Doedden nhw ddim yn gwrando.

'A wel,' meddwn i, er dwi'n siŵr na chlywodd neb beth ddwedes i. Dechreuais gerdded bant.

Ar ôl rhyw bum cam, sylweddolais mod i ar 'y mhen fy hun ac edrychais yn ôl. Ro'dd Steff wedi dringo dros foncyff un o'r coed o'dd wedi cael 'u torri ac ro'dd hi'n cerdded i mewn i'r goedwig. Gwaeddodd un o'r dynion ar 'i hôl, ond dal i gerdded 'nath Steff. Syllodd Anni arna i, yna dechreuodd ddilyn Steff. Ochneidiais a dechre cerdded i'r un cyfeiriad.

Ar ôl i'r sŵn llifio dawelu y tu ôl i ni, gwaeddais ar Anni i aros amdana i. Dal i gerdded yn gyflym 'nath hi, felly ro'dd yn rhaid i mi redeg. Ro'dd fy ochr yn brifo erbyn wrth i mi drio dal i fyny. Gofynnais iddi unwaith eto i arafu, ond dechreuodd gerdded yn gyflymach fyth. Ro'dd Steff yn dal o'n blaene, yn cerdded drwy'r goedwig.

'Ble ma hi'n mynd?' holais. 'A pham fod yn rhaid i ninne fynd hefyd?'

'Jest dilyna hi,' meddai Anni.

Er nad o'dd hi'n goedwig fawr, ro'dd 'na lawer iawn o goed ynddi. Ro'dd hynny'n gneud y daith yn un hir, yn enwedig i rywun â phoen yn 'i ochr. Yn raddol dechreuais deimlo bod rhywun yn ein dilyn. Edrychais yn ôl unwaith neu ddwy, ac er i mi feddwl i mi weld rhywbeth do'dd 'na byth unrhyw beth yno. Dim ond coed. Yn y diwedd, llwyddais i ddarbwyllo fy hun mai dyna'r teimlad mae pobl yn 'i ga'l bob tro ma'n nhw'n cerdded trwy goedwig. Canolbwyntiais ar gerdded a cheisio anwybyddu'r boen yn f'ochr.

O'r diwedd, dyma ni'n cyrraedd hen fwthyn bach o'dd yn dechre dadfeilio. 'Cwr-y-coed,' eglurodd Steff. 'Tŷ Mam-gu.'

Aeth Steff i mewn i'r ardd, neu'r hyn o'dd yn weddill ohoni, ac edrych o'i hamgylch.

'Ffynnon yw hon,' eglurodd wrth i ni 'i dilyn.

'Ffynnon?' meddwn i.

Tapiodd 'i throed ar bentwr o ddail. Daeth sŵn atsain.

'Gorchudd pren i gadw'r pryfed mas yw hon. Ro'dd Mam-gu'n defnyddio'r dŵr i olchi'r ffenestri, y llorie a'r grisie. Ro'dd 'na ddyn yn dod â photeli mawr o ddŵr iddi ar gyfer yfed a golchi.'

'Gobeithio bod y caead yn ddigon cryf,' meddai Anni. 'Bydde'n dipyn o sioc tase chi'n cerdded yn hapus drwy'r goedwig un funed, ac yna'n sydyn yn syrthio i mewn i ffynnon.'

'Ro'dd ffens yn arfer bod 'ma ac arwydd yn rhybuddio am y ffynnon,' eglurodd Steff. 'Ma 'na ffens wedi bod yma erioed.'

'Ife hon yw'r ffens?'

Ro'n i wedi cerdded draw at y bwthyn. Ro'dd 'na bentwr o byst wedi'u gorchuddio â dail o dan ffenest o'dd wedi torri.

Daeth Steff draw. 'Ma'n rhaid bod rywun wedi tynnu'r ffens ac wedi trio'i chuddio. Ma pobol yn gallu bod mor dwp.' Cerddodd draw at ddrws y ffrynt. Triodd 'i agor. Ro'dd ar glo. 'Ro'n i'n gobeith'o cael un golwg bach arall ar y lle,' meddai'n drist.

Estynnais fy mraich drwy'r ffenest a'i hagor.

'Dwi'n siŵr bod hyn yn erbyn y gyfreth,' meddai Anni.

'Wel, nid fi dorrodd y ffenest,' meddwn i.

'Mae e'n dal yn anghyfreithlon.'

'Dwi'n addo peidio dweud wrth neb.'

Wrth i mi neidio drwy'r ffenest ro'n i'n ymwybodol bod f'ochr yn dal i frifo. Yr eiliad y glaniais ar yr ochr arall, diflannodd y boen. Shwt? Wel, yn sydyn iawn, ro'dd gen i rwbeth arall ar fy meddwl. Rhwbeth erchyll. Rhywbeth erchyll iawn.

Pennod Dau Ddeg Un

Dwi ddim wir ishe disgrifio'r hyn wnes i lanio arno ar ochr arall y ffenest, ond i roi rhyw syniad i chi, do'dd e ddim yn arogli'n neis o gwbwl. Drwy lwc, ro'dd 'na ddigon o ddarne o bapur o gwmpas y lle, felly llwyddais i lanhau f'esgid cyn i mi fynd i gael gwell golwg ar y bwthyn. Ro'dd y stafell yn wag. Dim celfi, dim carpedi, dim byd heblaw am hen lun ar y wal a sbwriel ar y llawr.

'Agor y drws,' meddai Steff o ochr arall y ffenest.

Cerddais i mewn i'r cyntedd. Ro'dd 'na bentwr o bapure newydd o dan y blwch post. Ro'dd dyddiad yr wthnos hon ar y papur ar ben y pentwr. Ma'n nhw hyd yn oed yn dosbarthu papure bro i dai mewn coedwigoedd y dyddie 'ma. Hyd yn oed os yw'r tai'n wag a'r perchnogion wedi marw.

Ciciais y papure i un ochr a cheisio agor y drws. Dechreuais dynnu, ac o'r diwedd, diolch i 'nghryfder ap Sgiwaidd, agorais y drws. Daeth Steff i mewn ac Anni ar ei hôl. Ro'dd hi'n edrych yn nerfus. 'Dyw Anni byth yn nerfus, ond dyw mynd i mewn i dai dyw hi ddim i fod mynd i mewn iddyn nhw ddim yn digwydd yn aml. Ro'dd y bwmp o dan got Steff wedi dechre symud. Agorodd Steff 'i chot er mwyn rhoi rhywfaint o aer i'r ddau greadur.

'Ma'r lle 'ma'n drewi braidd,' meddai Steff.

Penderfynais beidio sôn gair am yr hyn o'dd ar fy esgid.

Tra oedden nhw'n edrych o amgylch y llawr isa, es i i'r gegin ym mhen draw'r cyntedd. Ro'dd yr hen ffwrn yn dal yno, ond nid yn erbyn y wal – edrychai fel tase rhywun wedi trio'i thynnu mas ac wedi methu.

Do'dd 'na fawr o sgwrs rhyngon ni wrth i ni grwydro o stafell i stafell. I fyny'r grisie ro'dd 'na ddwy stafell wely. Do'dd dim gwelye yno, dim cypyrdde, dim drorie, dim bylbie hyd yn oed. Lawr y grisie â ni. A'th Steff at ddrws y stafell lle ro'dd y ffenest ddes i drwyddi.

'Ro'n i'n arfer cael te yn fan hyn,' eglurodd Steff. 'Mam, Mam-gu a minne. Ro'dd Mam a fi'n byw'n 'itha pell, felly doedden ni ddim yn ymweld yn aml iawn. Ond weithie, bydden i'n dod yma ar 'y mhen fy hun ar y trên a bydde Mam-gu yn gneud te ffansi i ni – brechdane bach siâp triongl heb grwstyn. Caws a chiwcymbr fel arfer. A jeli i bwdin. Ro'dd hi wrth 'i bodd 'da jeli achos ro'dd hi'n gallu'i fwyta heb 'i dannedd gosod. A jam. Mafon a mefus. Ro'dd hi'n gneud 'i jam 'i hun, a bara hefyd.'

Daeth rhyw sŵn y tu ôl i ni. Ro'dd rhywun wedi'n dilyn i mewn. Ro'dd pwy bynnag o'dd yno'n gneud sŵn ffidil sentimental.

'Ro'n i'n meddwl bo' ti 'di mynd adre,' meddwn i.

Cododd Pît flaen 'i het wirion. 'Newidies i fy meddwl. Ro'n i ar fy ffordd i'r dre pan weles i chi'ch tri'n cerdded tuag at y goedwig . . .' Edrychodd o'i gwmpas. 'Dwi'm yn meddwl lot o'r lle 'ma. Dwi'n siŵr fod dy fam-gu'n falch o gael gwared o'r lle.'

''Nath hi ddim cael gwared ohono fe,' eglurodd Steff. 'Marw 'nath hi.'

'Sdim lot o wahanieth, os ti'n gofyn i mi.'

'Ma'n rhaid 'i bod hi wedi bod yn eitha sâl,' meddwn i.

'Pam?'

'Wel . . . i farw.'

'Ro'dd hi'n hen. Naw deg dau.'

'Naw deg dau! Ma 'da fi fam-gu – Nain ry'n ni'n 'i galw hi, nid Mam-gu – ond dim ond chwe deg-rhwbeth yw hi. Shwt yn y byd o'dd d'un di mor hen?'

'Fy *hen* fam-gu o'dd hi. Ro'n i'n 'i galw hi'n Mam-gu am fod 'i merch hi, fy Nain go iawn i, wedi marw cyn i fi gael 'y ngeni. Gafodd hi 'i gwasgu gan eliffant yn y syrcas.'

''I gwasgu gan eliffant?' meddwn i. 'Ti'n tynnu 'nghoes i.'

'Nac ydw. Ro'dd hi'n hyfforddi eliffantod.'

'Do'dd hi ddim yn ca'l llawer o hwyl arni, os ti'n gofyn i fi,' ychwanegodd Pît. Rhoddodd gic i ddrws bach yn y cyntedd. 'Be sy'n y fan hyn?'

'Y selar,' atebodd Steff.

'Selar? Selar go iawn? Sa i erioed wedi bod mewn selar.'

'Sai'n credu bod 'na unrhyw beth yn y selar. Ro'dd Mam-gu'n arfer cadw glo i lawr yno – hynny yw, nes i'r dyn glo gwympo i lawr y grisie un dro. Ar ôl hynny ro'dd hi'n cadw'r glo mewn sied yn y cefn.'

'Dwi'n siŵr 'i fod e'n lle tywyll iawn,' meddai Pît gan dynnu'r bollt. Agorodd y drws ac edrych i mewn. 'Ma'r lle fel bol buwch!' ebychodd.

Wrth i ni ymuno â Pît ger y drws, dechreuodd Sneipen gynhyrfu unwaith eto. Agorodd Steff 'i chot a gwthiodd y creadur 'i ben allan i weld beth o'dd yn digwydd. Ro'dd 'na symudiad o dan geg Sneipen, ac ymddangosodd Sneipen fach gan syllu i'r tywyllwch.

Chwarddodd Anni. 'Ma'n nhw'n fusneslyd, yn 'dyn nhw?'

'O ble ddaeth yr un fach?' holodd Pît yn syn.

'Mas o blisgyn Steff,' meddwn i. 'Wy o'dd e.'

'Na!'

'Ie.'

Ro'dd yn amhosib gweld ymhellach na rhyw lathen i lawr grisie'r seler. Ro'dd 'na rywbeth od ynghylch y tywyllwch yn y seler. Ro'dd e'n wyrdd. Yn sydyn neidiodd Sneipen a'r sneipen fach allan o got Steff a bownsio i lawr y grisie – i mewn i'r tywyllwch gwyrdd.

'Bydd raid i ni fynd lawr i'w ffeindio nhw nawr!' meddai Steff.

'Dy fai di yw hyn i gyd,' meddai Anni wrth Pît.

'Fy mai *i*?'

'Ie. Nawr, oes gole yn rhywle?' holodd Anni.

'Sai'n gwbod. Sa i 'di bod yn y seler 'ma o'r bla'n. Ymbalfalodd Steff am switsh. Ro'dd 'na un ar ochr arall y drws. Gwasgodd y switsh bedair gwaith. Dim byd.

'Oes matsien gan rywun?'

Dim ymateb gan neb. Ond drwy lwc, ro'n i wedi sylwi ar focs o fatsys yn y gegin, wrth ymyl y sinc. Es i i'w nôl nhw – bocs mawr o fatsys hir. Ro'dd 'na ryw ddwsin heb 'u defnyddio. Es i 'nôl at ddrws y seler a chynnig y bocs i Anni.

'Tania un,' gorchmynnodd.

Felly, taniais fatsien er mwyn cael fflam i oleuo'r tywyllwch. Ond doedden ni ddim yn gallu gweld rhyw lawer o hyd.

'Lawr â ti,' meddai Anni.

'Cer di,' atebais inne. 'Ti sy â'r matsys.'

Diffoddais y fatsien a'i rhoi'n ôl yn y bocs. 'Nage ddim.'

Edrychodd hithau'n flin arna i, a chydio mewn matsien arall. Dechreuodd gerdded i lawr y grisie gan ddal y fflam o'i blaen. 'Ro'dd dy fam-gu'n gweud y gwir am y grisie 'ma,' meddai Anni. 'Ma'n nhw'n serth. Yn serth iawn. S'dim rhyfedd bod dyn y glo wedi cwympo.'

'Tria ddal y canllaw,' awgrymodd Steff gan ddilyn Anni.

'Dyw e ddim yn saff iawn,' atebodd Anni.

'Gwell na dim . . .'

Arhosodd Pît a minnau ar dop y grisie gan wylio'r merched yn mynd i lawr.

'Shwt le yw'r seler 'te?' gwaeddais ar ôl rhyw funud o dawelwch.

'Mae'n gwmws fel Paris,' cyfarthodd Anni o'r tywyllwch.

'Chi'n gallu gweld unrhyw beth? Unrhyw beth o gwbwl?'

Diffoddodd y fflam. 'Na.'

'Tria fatsien arall,' meddai Steff.

'Pam na wnes *i* feddwl am hynny?' holodd Anni'n goeglyd.

'Dwi'n clywed lot o sniffian,' meddwn i.

'Ma 'nhrwyn i'n rhedeg,' eglurodd Anni.

'A f'un inne 'fyd,' meddai Steff.

Taniodd Anni fatsien arall.

'Beth chi'n gallu gweld nawr?' holais.

'Sdim byd i'w weld,' atebodd Anni. 'Sai'n gallu gweld y ddwy sneipen, hyd yn oed.'

'Gadewch nhw 'na,' meddai Pît. 'Ma'r lle 'ma'n codi ofan arna i.'

'Ti o'dd ishe mynd lawr i'r seler!'

'Dwi'n gwbod. Ond dwi wedi newid fy meddwl.'

Ro'dd 'na dawelwch am ychydig amser, heblaw am ryw sniffian merchetaidd, yna diffoddodd y fatsien. Byddai matsien yn rhedeg ar fatri wedi bod yn well. Taniodd Anni un arall.

'O! Beth o'dd hwnna?' holodd Anni.

'Ble?' holodd Steff.

'Ar y llawr.'

Daliodd y fatsien yn agosach i'r llawr. 'Heeeeei . . .' ebychodd Anni'n dawel.

'Sai'n credu'r peth,' meddai Steff.

'Na finne chwaith. Ti'n meddwl mai . . .' dechreuodd Anni.

'Ydw. Dwi'n eitha siŵr,' atebodd Steff. 'Ac edrych! Ma rhai ohonyn nhw'n . . .'

'Wow,' meddai Anni eto.

'Be sy'n digwydd?' holais. 'Be sy 'na?'

'Dere i weld,' atebodd Steff.

'Pam na wnei di jest ddweud wrtha i?'

'Allen i . . . ond dwi ddim am neud,' meddai Anni.

Aeth y seler yn dywyll. Ceisiodd Anni gynnau matsien arall, ond ro'dd hi'n gwrthod tanio. Ymbalfalodd am un arall. Taniodd honno.

'Edrych arnyn nhw!' sibrydodd Steff yn syn.

'Dwi'n mynd i lawr,' meddai Pît.

'Wyt ti?' holais.

'Ma'n nhw wedi darganfod rhwbeth. Beth os 'yn nhw wedi darganfod trysor?'

'Ti'n byw mewn paradwys ffŵl, Pît.'

'Y lle gore i fod.' Dechreuodd gamu i lawr y grisie. 'Dere!'

'Dwi'n meddwl y dyle rhywun aros lan fan hyn,' meddwn i.

'Pam?'

'Achos, mewn ffilmie, hon yw'r lle pan ma'r pedwar arwr yn mentro i'r tywyllwch ac ma rhywun yn cau'r drws a'u cloi nhw mewn.'

'Clwc,' meddai Pît hanner ffordd i lawr y grisie. 'Clwc-clwc-clwc-clwwwwc.'

Ond do'dd gen i ddim dewis. Ro'n i hanner ffordd i lawr y grisie pan ddiffoddodd y fatsien. Yn sydyn, dyma fi'n sefyll ar ris nad o'dd yno, llithro i lawr y grisie, baglu ar y gwaelod a glanio ar 'y mhedwar ar y llawr. Ro'dd hwnnw'n teimlo'n feddal. Sylwais fod y gole gwyrdd yn dod o'r llawr.

'Anni! Matsien arall!' meddai Steff. 'Ma hyn yn anhygoel.'

'Ti ddim wedi gweld matsys o'r blaen 'te?' holodd Pît o'r tywyllwch.

'Dwi'n credu 'u bod nhw 'di marw,' meddai Anni.

'Na! Dy'n nhw ddim,' meddai Steff. 'Weles i nhw'n symud.'

'Y matsys ro'n i'n feddwl.'

Wrth i mi godi ar 'y nhraed dechreuodd 'y nhrwyn i redeg. 'Be sy'n digwydd?' gofynnais gan deimlo fy ffordd yn y tywyllwch. Yna, glaniodd fy llaw ar rywbeth.

'Sai'n gwbod!' ebychodd Pît, 'ond well i bwy bynnag sy newydd roi llaw ar fy rhannau preifat i 'i thynnu hi o 'na cyn i fi wylltio.'

Llwyddodd Anni i danio matsien. Yng ngolau'r fflam, gallai Pît a minne weld beth o'dd Anni a Steff wedi'i

weld. Yng nghanol y stwff gwyrdd meddal ar y llawr ro'dd pentwr enfawr o wyau – yn gwmws fel yr un ym mhoced Steff.

Wyau Sneipen.

Ac ro'dd yr wyau yma'n deor.

Pennod Dau Ddeg Dau

Ro'dd yr hylif gwyrdd o'dd yn llifo allan o'r wyau o'dd ar fin agor yn gwmws yr un fath o hylif â'r hyn ddaeth allan o wy Steff cyn i Sneipen Fach ddod allan ohono. Dim ond wedi dechrau agor ro'dd rhai o'r wyau, ac ro'dd yr hylif gwyrdd yn llifo ychydig bach yn arafach allan o'r rhain. Ro'dd rhai o'r wyau heb agor o gwbwl, ond wrth i Anni danio'r fatsien ola, dechreuodd cracie ymddangos ym mhob un.

Sniff, sniff, sniff, sniff, sniff, sniff, sniff, sniff, sniff, sniff.

Anni, Pît, Steff a fi o'dd yn gyfrifol am yr holl sniffian. Do'dd dim rhyfedd bod ein trwyne ni'n rhedeg. Ro'dd y seler yn llawn o wye sneipod!

'Do'dd gen ti ddim syniad bod y pethe 'ma i lawr fan hyn?' gofynnodd Anni i Steff.

'Na. Ond dwi'n siŵr bod Mam-gu'n gwbod. Falle 'i bod hi 'di'u rhoi nhw yn fan hyn i'w hachub nhw rhag Bernie a'i ffrindie. Hi o'dd yr hen wraig redodd ar 'u hole nhw. Dwi'n siŵr o hynny nawr. Faint yn ôl o'dd hynny? Ugain mlynedd?'

'Rhwbeth tebyg.'

'Wel, rhaid mai ar ôl i'r dyn glo wrthod dod i lawr i'r seler o'dd hi. Ma'n rhaid bod Mam-gu wedi casglu'r wye a'u rhoi nhw i lawr fan hyn.'

'Ond bydde'r wye wedi deor petaen nhw wedi bod fan hyn ers hynny.'

'Sneb yn gwbod dim am y creaduried 'ma,' meddwn i.

'Beth os yw hi'n cymryd sawl blwyddyn iddyn nhw ddeor?'

'Ie . . . ond . . . *ugain* mlynedd?'

'Ma chwain yn gallu aros yn 'u hwyau am byth,' meddai Steff.

'Ond nid *chwain* sy yn y seler 'ma,' meddai Pît. 'Heblaw am y rhai yng ngwallt Jigi.'

'Na, ond . . .'

'Hyd yn oed os 'yn ni'n sôn am ugain mlynedd,' meddai Anni, 'mae'n dipyn o gyd-ddigwyddiad bod yr wye'n dechre deor yr eiliad daethon ni i lawr i'r seler, on'd yw e?'

'Ma chwain yn gallu deor os oes rhywun yn cerdded heibio iddyn nhw,' awgrymodd Steff. 'Achos y cryndod sy'n ca'l 'i achosi.'

'Ond nid *chwain* sy yn y seler 'ma,' meddai Pît unwaith eto.

'Neu os yw tymheredd y stafell yn newid,' aeth Steff yn 'i blaen.

Trawodd Pît 'i dalcen â'i law mewn anghrediniaeth.

'Falle bod ishe aer a gole ar yr wye 'ma i ddeor,' awgrymais inne. 'Agoron ni'r drws . . . daeth aer a gole i mewn i'r seler a . . . crac!'

'Dwi'n siŵr y bydde Mam-gu wedi agor y drws 'ma unwaith neu ddwy mewn ugain mlynedd,' meddai Steff, 'i neud yn siŵr 'u bod nhw iawn.'

'Falle na wnaeth hi.'

'Wrth gwrs y bydde hi. Dyna'r math o berson o'dd hi.'

Ro'dd y sneipod pitw bach bellach wedi dechre rowlio allan o'u wye. Eisteddon nhw ar y llawr gan ddechre canu grwndi a cheisio agor 'u llyged.

'Hei, ma'n ffrind ni fan 'co,' meddwn i wrth i Sneipen Fawr syrthio o do'r selar. Ro'dd Sneipen Fach yn dal yn 'i phoced, ei fysedd bach yn gafael yn dynn yn yr ymyl a'i lyged bach yn syllu allan. Anwybyddodd Sneipen Fawr y ffaith fod ein trwyne ni'n rhedeg. Yn hytrach, bownsiodd o amgylch llawr y seler gan lyfu'r hylif gwyrdd oddi ar y babis bach.

'O, dwi'n gweld!' meddwn i.

'Gweld be?'

'Dyna pam mae Sneipen yn dwlu ar sneips. Mae'n 'i hatgoffa o'r stwff sydd yn yr wye.'

Bu raid i mi orffen y frawddeg mewn tywyllwch gan bod y fatsien ola wedi diffodd. Ond aethon ni ddim allan o'r seler yn syth. Ymhen ychydig, diolch i'r golau gwyrdd o'r llawr, daeth ein llyged ni i arfer â'r tywyllwch. Gallem weld Sneipen Fawr yn mynd o gwmpas yr holl sneipod eraill yn llyfu'r stwff gwyrdd i ffwrdd oddi arnyn nhw. Ar un pwynt, neidiodd Sneipen Fach allan o boced 'i fam a dechre gwneud yr un peth, ond llithrodd a rholio i ffwrdd. Dechreuodd bawb chwerthin – pawb heblaw am Pît hynny yw, am nad o'dd e'n or-hoff o'r pethe bach gwyrdd.

'Chi'n gwbod be,' meddai, 'falle bod 'na reswm pam mae'r llawr mor llachar.'

'Beth, felly?'

'Ymbelydredd.'

'Hy!' chwarddodd pawb. 'Deunydd ymbelydrol mewn seler yn y goedwig? Paid â bod mor hurt!'

'Wel, os *yw* e'n ymbelydrol,' aeth Pît yn 'i flaen, 'ry'n ni mewn trwbwl.'

'Tail sneipod,' meddai Anni.

'Be?'

'Dyna be dwi'n 'i feddwl yw e. Os oes 'na wye sneipod fan hyn, mae'n rhaid bod sneipod wedi bod yma rywbryd yn y gorffennol.'

'Ro'n i'n meddwl ein bod ni 'di cytuno 'u bod nhw lawr fan hyn er pan o'dd Bernie'n blentyn,' meddai Steff.

'Falle'u bod nhw,' meddai Anni. 'Ond cymryd ugain mlynedd i ddeor? Sai'n rhy siŵr.'

'Falle fod dy mam-gu yn ffermio sneipod,' awgrymodd Pît.

Ochneidiodd Anni. 'O'dd raid i ti ein dilyn ni i'r fan hyn?'

Wfftiodd Pît. 'Bob tro dwi'n agor 'y ngheg, ma pobol yn meddwl mod i'n dwp.'

'A dyma'r tro cynta i ti ddod i'r casgliad 'ma? Da iawn ti!' meddai Anni.

'Be ti'n feddwl, fferm sneipod?' holodd Steff. Do'dd hi ddim yn nabod Pît mor dda ag o'dd Anni a minnau.

'Falle bod dy fam-gu di'n magu'r creaduried 'ma,' awgrymodd Pît. 'Falle mai'r rhain yw'r ychwanegiade diweddara?'

Ro'dd Steff yn hoffi'r syniad. 'Os felly 'te, falle bod 'na filoedd o wye wedi bod yn y seler 'ma dros y blynyddo'dd. Cenhedlaeth ar ôl cenhedlaeth, pob un yn deor, yn tyfu, ac yn creu tail.'

'Ond beth am fwyd?' holais.

'Falle bod y stwff gwyrdd 'na'n ddigon i'w cadw nhw i fynd. Falle 'u bod nhw'n gallu creu'r stwff 'u hunen ac yn bwyta'r stwff ma'n nhw'n 'u greu. Neu'r stwff ma'r sneipod eraill yn 'i greu.'

'Ro'dd ein sneipen ni'n ddigon hapus os o'dd 'na

ddigon o sneips i'w llyfu,' meddai Anni. 'Falle bod ein sneips ni'n blasu 'run fath â'r stwff gwyrdd.'

'Oes rhywun ishe profi'r stwff?' holodd Pît.

'Beth os yw tail y sneipod yn berffeth ar gyfer creu nyth fach ar gyfer yr wyau?' awgrymodd Steff.

'A falle rhywle cyfforddus i rai mawr hefyd,' ychwanegodd Anni. 'Sneb yn gwbod shwt lwyddodd ein Sneipen ni i gyrraedd y Cetyn. Beth os aeth hi ar goll amser maith yn ôl, neu neidio i mewn i ddianc rhag plant o'dd yn rhedeg ar 'i hôl hi? Falle 'i bod wedi aros yn y Cetyn gan fod y sbwriel yno'n debyg i'r tail.'

'Sai'n cofio clywed Sneipen yn cwyno ar ôl 'i thaith i lawr y tŷ bach!' atgoffais bawb. 'Ac ma'r system garthffosiaeth yn llawn tail o bob math.'

'Hei, Jig,' meddai Pît yn sydyn. 'Edrych ar dy ddwylo a'th benglinie!'

'Pam? Be sy'n bod arnyn nhw?'

'Sai'n gwbod, ond . . .'

Edrychais ar 'y nwylo. Ro'dd y cledre'n wyrdd. Ac yn disgleirio. Edrychais i lawr. Ro'dd 'y mhenglinie'n disgleirio hefyd – yn yr union fannau o'dd wedi cyffwrdd â'r llawr. Dyna pryd y sylweddolais be ro'n i wedi glanio ynddo'n gynharach.

'Iyyych!'

Dechreuais sychu 'nwylo ar 'y nhrowsus fel gwallgofddyn, gan rwbio, rhwbio a rhwbio. Chwarddodd Pît yn yr hanner tywyllwch. Ond daeth 'y nhro i.

'Pît. Edrych ar dy drowsus.'

'Be sy'n bod arno fe?'

'Ma' hwnnw'n disgleirio 'fyd. Reit ar dy ranne preifat!'

Edrychodd i lawr. 'O na! Nid fan'na!' Tynnodd 'i het wirion a dechrau rhwbio blaen 'i drowsus. 'Dy fai di yw hyn i gyd, ap Sgiw.'

'Gwir!' meddwn i, gan wenu'n llydan.

Ro'dd mwy a mwy o'r sneipod bach yn rowlio allan o'u hwyau. Ar ôl i sneipod bach gael 'u llyfu'n lân gan y Sneipen Fawr, byddai'r rhai bach yn eistedd yn dawel ac yn dechre canu grwndi'n hapus.

'Sai'n deall y peth,' meddai Steff. 'Do'dd dim sôn am wyau na chreaduried yn y seler yn ewyllys Mam-gu. Beth o'dd hi'n disgwyl i ni neud pan fydden ni'n 'u ffeindio nhw?'

'Falle 'i bod hi wedi gadael cyfarwyddiade yn rhywle,' awgrymais.

'Os wnaeth hi, does dim sôn amdanyn nhw. Cofiwch chi, dim ond unwaith ddaethon ni 'nôl i'r bwthyn ar ôl yr angladd – jyst i gasglu un neu ddau o bethe fel llunie a phethe personol. Ofynnodd Mam i'r cwmni clirio tai i gael gwared â'r gwedd–'

'Shhh!' sibrydodd Anni.

Tawelodd pawb. Yn rhyfedd iawn, tawelodd y sneipod hefyd. Ro'dd sŵn traed i'w glywed uwch ein pennau. Ro'dd rhywun yno.

'Helô! Oes rhywun i lawr 'na?'

Er bod 'na bedwar plentyn yno yng nghanol llond seler o sneipod bach, ddywedodd neb 'run gair.

Caeodd drws y seler. A daeth sŵn bollt yn cloi . . .

''Na fe . . . ddwedes i,' wfftiais.

Er bod y drws wedi'i gloi, do'dd hi ddim fel y fagddu yn y seler. Yn ogystal â'r golau gwyrdd ro'dd 'na hefyd gylchoedd bach o olau yno. Llyged sneipod. Ond nid

dyma'r amser i edmygu llyged creaduried bach rhyfedd o'dd yn byw mewn tail. Y tro nesa y bydden ni'n gweld unrhyw olau eto fyddai pan ddeuai'r Jac Codi Baw i ddymchwel y lle 'ma.

'Dwi ddim yn aros fan hyn,' meddai Pît. Gwelsom 'i gysgod yn symud ar draws y stafell.

'Gwylia'r Sneipod!' gwaeddodd Steff.

'Sdim ots gen i amdanyn nhw,' gwaeddodd yn ôl.

'Www,' meddai Anni.

'Www be?' holodd Steff.

'Dwi'n meddwl mod i ar fin tisian.'

'Finne 'fyd,' meddwn i.

'A fi,' meddai Steff.

'Byddwch yn barod . . .' sgrechiodd Pît.

A dyma ni'n tisian. Y pedwar ohonon ni ar yr un pryd mewn cynghanedd pedwar-llais perffaith!

Pennod Dau Ddeg Tri

Wel, am honc! Archdderwydd o honc! Yn y seler 'na ro'dd yr honc pedwar llais ddengwaith yn uwch na phetaen ni 'di honcio allan yn yr awyr agored. Mae'n rhaid bod y sŵn wedi codi ofn ar bob creadur bach arall yn y seler hefyd, oherwydd diffoddodd y golau yn 'u llygaid yn syth.

Ond nid *dim ond* y sŵn o'dd wedi codi ofn ar y sneipenod bach. Tasgodd llif o sneips o drwyne'r pedwar ohonon ni gan wlychu pob wal yn y seler – oherwydd er na fu trafod ar y peth o gwbwl, trodd pawb mewn cyfeiriade gwahanol a honcio dros bedair wal wahanol. Yna, gan ddisgleirio'n dawel, llifodd pob honc i mewn i'w gilydd a chreu darlun enfawr o'n cwmpas.

'O! Mae'n wir,' ebychodd Pît. 'Ma 'na lunie yn y sneips!'

'O'r diwedd!' meddwn innau.

Do'dd y llun ddim yn glir iawn, gan fod y seler mor dywyll, ond ro'dd modd gweld llun o goed, llond coedwig o goed, a'r bwthyn a . . .

''Co ni!' meddai Anni.

Ac ro'dd Anni yn llygad 'i lle. Ro'dd llun ohonon ni yn sefyll y tu allan i ddrws ffrynt Cwr-y-coed. Yn sydyn dechreuodd y llun ddiflannu; ro'dd hi'n anodd dweud a o'dd unrhyw un wrth y drws bellach, ac ro'dd rhywbeth yn digwydd yn yr ardd. Ro'dd rhywun, a dwi ddim yn

siŵr pa un ohonon ni o'dd e, yn syrthio i mewn i'r ffynnon heb ffens o'i chwmpas.

'Pwy gwympodd i mewn i'r ffynnon?' holodd Anni.

'Ro'dd e'n edrych yn debyg i Pît,' meddwn i.

'Pa ffynnon?' holodd Pît.

'Ie, Pît yw e,' meddwn i eto.

'Dw *i*'n meddwl mai *fi* syrthiodd,' ychwanegodd Steff.

'Pa ffynnon?' holodd Pît.

'Ro'n *i*'n meddwl 'i fod e'n edrych yn debycach i Jigi,' meddai Anni.

'Oes 'na ffynnon yn yr ardd 'te?' holodd Pît.

'Oes, ma 'na ffynnon.'

'Wel, nid fi welest ti'n syrthio,' meddwn i, 'achos dwi'n gwbod ble ma'r ffynnon, ac os llwyddwn ni i ddianc o'r lle 'ma, alla i eich sicrhau chi na fydda i'n mynd yn agos ati.'

'Falle bydd hi 'di nosi erbyn i ni ddianc,' meddai Pît. 'Os bydd hi'n dywyll falle na weli di'r ffynnon.'

'Os byddwn ni'n dal yn fan hyn erbyn iddi nosi,' meddwn i, 'bydd ein rhieni 'di ffonio Taclo'r Tacle, a bydd 'na ailgread o'n symudiade ola ni ar y teledu i bawb gael ei weld.'

'Dwi'n gobeithio mai rhywun golygus fydd yn 'y mhortreadu i,' meddai Pît.

'Dim gobeth!' meddwn i. 'Ma'n rhaid i'r pethe 'na fod mor realistig â phosib.'

Ro'dd yr hylif gwyrdd 'di rhedeg oddi ar y walie i'r llawr erbyn hyn. Yn sydyn, ro'dd y seler yn llawn babis sneipllyd yn bownsio dros bobman ac yn cael blas o'u pryd bwyd cynta'. Dwi'n siŵr y byddai'n ddiddorol iawn 'u gwylio nhw wrthi, ond ro'dd 'da ni bethe pwysicach i'w trafod.

'Ma'n rhaid i ni ddianc,' meddai Pît.

Dechreuodd ddringo'r grisie, a dwi'n siŵr y byddai e 'di dechre curo'r drws â'i ddyrne, ond cyn iddo gyrraedd y top dyma ni'n clywed bollt yn cael ei agor.

'Pwy sy lawr 'na? Dwi'n gwbod bod 'na rywun 'na. Glywes i chi.'

'Ma 'na bedwar ohonon ni,' atebodd Anni. 'Ac ry'n ni ar ein ffordd lan.'

'Beth chi'n neud lawr yn y seler?' holodd y dyn ar ben y grisie wrth i mi gerdded tuag ato. 'Pam na wnaethoch chi ateb y tro cynta?'

'Doedden ni ddim yn sylweddoli eich bod chi'n mynd i'n cloi ni i mewn,' atebodd Pît.

Ro'dd Anni'n 'i ddilyn i fyny'r grisie. Tua hanner ffordd i fyny, stopiodd a throi at Steff a fi.

'Beth am y sneipod?'

'Beth amdanyn nhw?'

'Gân nhw'u lladd os bydd y tŷ 'ma'n cael 'i ddymchwel.'

'Falle ddim,' meddwn i.

Fi o'dd yr ola i ddringo'r grisie, a chyn i mi ddechre symud teflais un cipolwg ola o gwmpas y seler. Ro'dd y lle'n wag. Do'dd 'na'r un sneipen yno, yn fach nac yn fawr. Yr unig olion o'dd wye gwag a haenen fach ddisglair o dail dros y llawr.

'I ble ma'n nhw 'di mynd?' sibrydodd Steff.

'I mewn i'r tail,' awgrymais. 'I mewn i'r llawr, siŵr o fod.'

'Drw'r concrit?' holodd Anni'n syn.

'Falle nad concrit yw e. Mae'n hen adeilad.'

'Ond ches i ddim cyfle i weud hwyl fawr wrth fy

ffrind,' meddai Steff. 'Cha i ddim cyfle i'w gweld hi fyth eto . . .'

'Hi?' holais.

'Wrth gwrs. Welest ti erioed foi yn gneud cymaint o ffŷs dros fabis?'

'Helô,' meddai Anni wrth y dyn pan gyrhaeddon ni dop y grisie. 'Be chi'n neud yn fan hyn?'

Ein ffrind â'r siaced frethyn o'dd wrth y drws.

'Weles i chi'n mynd i mewn i'r goedwig. Meddwl y dylen i eich rhybuddio chi o'r perygl gyda'r holl waith torri coed a'r adeiladu. Shwt ddaethoch chi mewn i'r tŷ? Ro'dd y drws ar glo.'

'Ro'dd 'na ffenest wedi torri,' atebais. 'Ro'dd ein ffrind ishe un olwg ola ar hen gartre'i mam-gu cyn iddo gael 'i ddymchwel.'

'Eich mam-gu?' holodd y dyn gan droi at Steff.

Trodd hithau i edrych i'r cyfeiriad arall. 'Chi'n gwbod pwy yw'r dyn 'ma?' holodd Steff yn flin.

'Y dyn gwrddon ni yn y goedwig,' atebodd Pît.

'Dyn gwrddoch *chi* yn y goedwig,' pwysleisiodd Steff.

Dywedodd y frawddeg mewn ffordd gas. Cas iawn. Yn sydyn, doedd geirie Pît ddim yn swnio'n neis iawn.

'Dyma'r dyn brynodd y goedwig gan berchennog y tir,' aeth Steff yn 'i blaen. '*Fe* brynodd y bwthyn oddi wrth Mam ar ôl i Mam-gu farw. Fe yw'r un sy'n gyfrifol am ddinistrio'r goedwig ac adeiladu'r stad tai erchyll.'

'Chi?' holodd Anni a minnau mewn syndod. Safodd Pît yn nodio'i ben fel tase fe'n gwbod y gwir ers y dechre. Doedd e ddim.

'Dyw'r tai ddim mor wael â hynny, gobeithio,' meddai'r dyn.

'Wedi'u cynllunio gan bostmyn?'

Edrychodd y dyn yn syn. 'Postmyn?'

'Neu ddynion llaeth, athrawon chwaraeon, menywod lolipop . . .'

'Mae'n ddrwg gen i, dwi ddim . . .'

'Ro'n i'n meddwl 'ych bod *chi* yn un o'r bobol dda,' meddai Anni.

Gwenodd y dyn. 'Gŵr busnes sy'n trio gneud bywoliaeth ydw i.'

'Trwy ddinistrio cynefin naturiol a hen goedwig?' wfftiodd Steff.

'Dwi'n bwriadu plannu coed newydd ar y stad, heb sôn am barciau ar gyfer y plant.'

'Dyw hynny ddim yr un peth o gwbl,' meddai Steff.

Cerddodd y dyn allan i'r ardd. Ro'dd yn anodd gweld yn glir allan yn yr awyr agored ar ôl bod yn nhywyllwch y seler ers cymaint o amser. Tynnodd y dyn allwedd o'i boced a chloi drws y ffrynt.

'Well i chi fynd,' gorchmynnodd. 'Mae'r goedwig yn lle peryglus i fod ynddo ar hyn o bryd.'

Cerddodd drwy'r ardd. Edrychais ar Anni. Ro'dd hi'n edrych yn drist – mor drist ag o'n i'n teimlo. Ro'n i'n gwbod yn gwmws beth o'dd ar 'i meddwl. Ro'dd y dyn yn ymddangos mor neis cyn i ni ddarganfod pwy o'dd e.

Yn sydyn, dyma ni'n clywed sŵn CRAC! enfawr, fel petai cawr wedi sefyll ar foncyff a'i dorri. Yna daeth sŵn sgrechian uchel wrth i'r dyn syrthio i mewn i'r ffynnon.

'O! Nid un ohonon ni'n pedwar o'dd e wedi'r cwbwl,' ebychodd Steff.

Doedd y ffynnon ddim yn llydan iawn, nac yn ddwfn chwaith. Ro'dd hi jyst yn ddigon llydan i ddyn sefyll

ynddi â'i freichie'n syth i fyny uwch 'i ben. Dyna union be ro'dd y dyn yn 'i neud yn y ffynnon.

'Chi'n iawn?' holodd Anni gan sbecian i mewn i'r ffynnon.

'Nac ydw siŵr, y dwpsen!' ebychodd y dyn yn flin. 'Fe ddyle 'na ffens fod fan hyn i rybuddio pobol bod 'na ffynnon 'ma. Ro'dd 'na un y tro dwetha i fi alw. Helpwch fi allan.'

'Beth yw'r gair hud?' heriodd Pît.

'Achos llys!' gwaeddodd y dyn.

'Cywir,' atebodd Pît.

'Mewn unrhyw stori werth chweil,' meddwn i wrth i ni fynd ati i helpu'r dyn allan o'r ffynnon, 'dyma'r darn lle ma'r datblygwr dieflig yn diolch i'r arwr ifanc am achub 'i fywyd ac yn penderfynu newid 'i feddwl ynghylch dinistrio'r goedwig a dymchwel yr hen fwthyn . . . ac ma'r diweddglo mor sopi nes gneud i chi chwydu dros bob man.'

'Oes *rhaid* i ti, Jig?' holodd Anni.

Ond do'dd y dyn *ddim* yn ddiolchgar. Ddim o gwbl. Ro'dd e'n mynnu mai *ni* o'dd wedi cuddio'r ffens. Rhuthrodd i ffwrdd yn flin ac yn fwdlyd, gan regi dan 'i anadl. Soniodd e 'run gair am wobr, na chwaith am unrhyw addewid i beidio â dymchwel y goedwig. Ddwedodd e ddim hyd yn oed 'Diolch yn fawr'!

Pennod Dau Ddeg Pedwar

Canodd y ffôn tua hanner dydd. Hynny yw, canodd pob ffôn nad o'dd yn ffôn symudol am hanner dydd, yn union fel petaen nhw wedi dod at 'i gilydd yn rhywle i drefnu'r cyfan. Ro'n i'n digwydd cerdded heibio un ffôn ar fy ffordd i'r gegin.

'Ateb y ffôn, Jig,' meddai Mam o ben y grisie.

'Ma 'na ffôn wrth d'ymyl di, ryw droedfedd i'r chwith,' atgoffais hi. 'Mae'n hongian ar y wal ac yn edrych yn debyg i bysgodyn 'di marw.'

'Jigi, ti'n *anobeithiol* weithie!' wfftiodd hithau gan ollwng y fasged ddillad o'dd hi'n 'i chario. Cododd y ffôn. Arhosais yno ar waelod y grisie rhag ofn mai i fi o'dd yr alwad. 'Ti yn *ble?*' clywais Mam yn dweud. 'Pam wyt ti yn yr orsaf heddlu? Be ti 'di *neud*?'

'Wow!' ebychais a chodi ffôn y gegin.

''Sa i 'di *neud* unrhyw beth,' atebodd llais bach Dad ar ochr arall y lein. 'Dwi 'ma achos beth sy 'di ca'l 'i neud i mi.'

'Be sy *wedi* digwydd i ti?'

'Dwi 'di cael fy mygio.'

'Mygio?'

'Ro'n i'n loncian yn y parc. Ddaethon nhw mas o nunlle. Tri ohonyn nhw.'

'Aros eiliad,' meddai Mam. 'Roeddet *ti'n* . . . loncian?'

'O'n.'

'Ti?'

'Brynes i dracwisg yn arbennig.'

'Brynest ti dracwisg? *Brynest ti dracwisg*?'

'Rhy swil i ddangos pa mor ffasiynol o't ti, ife, Dad?' heriais.

'Jigi, rho'r ffôn 'na i lawr,' gwaeddodd Mam i lawr y ffôn ac o ben y grisie.

'Iawn.' Ond wnes i ddim.

'Gad i mi ddeall hyn yn iawn,' dechreuodd Mam eto. 'Brynest ti dracwisg, est ti mas i loncian, a gest ti dy fygio?'

'Do.'

'Weles di 'u wynebe nhw?'

'Do'n i ddim yn edrych ar 'u wynebe nhw! Ro'n i'n rhy brysur yn trio rhwystro fy hun rhag cael trawiad i weld 'u wynebe nhw. Pa dwpsyn ddyfeisiodd loncian ta beth? Gobeithio bod rhywun 'di'i daflu e dros glogwyn.'

'Aethon nhw ag unrhyw beth?' holodd Mam.

'Pwy?'

'Dy fygwyr di.'

'Fy mygwyr i? Nid *fi* o'dd *pia* nhw.'

'Be ddygon nhw?'

''Y mand chwys i.'

'Ma 'da ti fand chwys *a* thracwisg?'

'*O'dd* 'da fi fand chwys. Ond sdim band chwys 'da fi bellach.'

'Ife 'na i gyd ddygon nhw? Dy fand chwys di?'

'Ie.'

'Wel, ti'n lwcus,' ebychodd Mam.

'Lwcus?' holodd Dad. '*Lwcus*?! Nid ennill y loteri wnes i, Peg. Cael fy mygio! Gan loncwyr!'

Pennod Dau Ddeg Pump

Collodd mudiad 'Rhaid Helpu ein Coedwigoedd Hynafol' 'u brwydr i achub Coed Carlwm, ond yn fuan iawn daethon nhw o hyd i goedwig arall i frwydro drosti.

Aeth Anni draw i gartre Steff unwaith neu ddwy, ond gan fod Sneipen 'di mynd, sylweddololodd y ddwy nad o'dd gyda nhw ryw lawer yn gyffredin. Do'dd dim ots am hynny, achos yr eiliad y stopiodd Steff sniffian a honcio ro'dd pawb arall ishe bod yn ffrindiau 'da hi. Yr unig dro arall i ni fod gyda'n gilydd o'dd rhyw bythefnos ar ôl yr Honc Fawr yn y seler. Ro'n i wedi mynd draw i dŷ Pît ac Anni i weld os o'dd 'u bywyde nhw 'di troi'n fwy cyffrous ers i mi siarad â nhw ddwetha, ac ro'dd Steff yno. Ro'dd hi'n gwisgo rhywbeth o amgylch 'i gwddw – rhywbeth nad o'n i'n disgwyl 'i weld fyth eto. Sneipen.

'Dwi 'di rhoi llun bach o Mam-gu tu fewn iddo cyn gludo'r holl beth yn ôl at 'i gilydd,' eglurodd Steff. 'Dwi ddim yn gallu'i gweld hi, ond dwi'n gwbod 'i bod hi 'na. Mae fel petai hi gyda fi drwy'r amser.'

Edrychodd Pît a minnau ar ein gilydd. Merched. Ma'n nhw mor sentimental.

Cynigiodd Anni, gan ein bod ni i gyd gyda'n gilydd, y gallen ni fynd i weld sut o'dd y gwaith adeiladu'n dod yn 'i flaen ar y stad newydd. Do'dd Steff ddim yn orawyddus. Do'dd ganddi hi ddim diddordeb, medde hi. Ond mynd wnaethon ni gan nad o'dd dim byd gwell 'da

ni i'w neud. Daeth Pît ar 'i feic. Rasiodd o'n blaene cyn dod yn ôl a reidio o'n hamgylch â'i ddwylo tu ôl i'w ben yn gweiddi, 'Wahŵ! Wahŵ!' am ryw reswm. Ceisiais anwybyddu'r twpsyn gan holi Steff a o'dd hi'n gweld ishe Sneipen.

'Wel,' meddai, 'ro'n i'n drist am gwpwl o ddyddie ar ôl iddi fynd, a phan ofynnodd Mam beth o'dd yn bod, wedes i rwbeth twp fel, "Dwi'n casáu bod ar 'y mhen fy hun drwy'r amser." Rhyw ddeuddydd wedyn, daeth cath fach strae i mewn i'r tŷ ac fe ddwedodd Mam y gallen i 'i chadw hi.'

'Arhosodd y gath?'

Gwenodd Steff. Ro'dd ganddi'r un wen lachar â'i Mam. Do'n i heb sylwi arni o'r blaen.

'Do. Ma hi'n 'y nilyn i bobman. Dwi'n siŵr y byddai'n 'y nilyn i i'r ysgol hefyd. Mae hi mor annwyl. Ac mae'n edrych arna i'n gwmws fel ro'dd Sneipen yn edrych arna i. Mae'n anhygoel.'

'Be ti 'di galw'r gath?' holais.

'Sneipen.'

Roedden ni 'di cyrraedd y fan lle ro'dd y goedwig yn arfer bod. Ro'dd y gwaith 'di dod i ben am y dydd a'r adeiladwyr 'di mynd adre. Edrychai'r lle'n wahanol iawn. Roedden nhw 'di gadael coeden neu ddwy yn y pen pellaf, ond ro'dd y gweddill 'di cael 'u torri i lawr a'u clirio.

'Mae e 'di mynd,' ebychodd Steff.

Sôn am fwthyn 'i Mam-gu o'dd hi. Nid yn unig ro'dd y bwthyn 'di mynd, ond fyddai neb yn credu 'i fod e 'di bodoli erio'd. Ro'dd sylfeini sawl tŷ 'di cael 'u gosod, a'r gwaith adeiladu wedi dechrau ar tua chwech o dai. Ro'dd 'na stori yn y papur lleol yn sôn bod yr adeiladwyr wedi

datblygu rhyw fath o alergedd rhyfedd. Am ryw reswm ro'dd 'u trwyne nhw'n rhedeg drwy'r amser ac roedden nhw'n honcio'n gyson (sôn am disian ro'dd y papur lleol, ond roedden ni'n gwbod yn iawn am beth roedden nhw'n sôn). Ro'dd hynny'n golygu bod 'na wye sneipod yn dal yn y goedwig – yn rhywle.

'Beth am i ni fynd i chwilio amdanyn nhw?' awgrymodd Steff.

'Ro'n i'n meddwl nad o'dd diddordeb 'da ti yn y lle,' meddwn i.

'Dwi 'di newid 'y meddwl.'

Felly, i lawr y llethr â ni. Cafodd Pît dipyn bach o drafferth ond pan gyrhaeddodd y gwaelod saethodd bant ar 'i feic wrth i Anni, Steff a minnau sbecian yn agosach ar sylfeini'r tai. Do'dd dim golwg o unrhyw wye yn unman, ond pan ddechreuodd ein trwyne redeg roedden ni'n gwbod 'u bod nhw'n agos. Ond *ble* – dyna'r cwestiwn.

'Mae'n anodd gweud ble ro'dd bwthyn dy fam-gu'n arfer bod,' meddai Anni.

'Ydy . . .'

Reidiodd Pît 'i feic i mewn ac allan o'r tai anorffenedig wrth i ni geisio gweithio allan ble ro'dd Cwr-y-coed yn arfer sefyll.

Gwaeddodd Steff. 'Draw fan hyn! Ma'r tir yn fwy meddal yma. Bydde'n rhaid iddyn nhw lanw'r seler â phridd, felly falle mai fan hyn o'dd e.'

'Gobeitho'u bod nhw 'di llanw'r ffynnon 'fyd.'

Pan gyrhaeddon ni draw wrth ymyl Steff, fe welon ni bod 'i thrwyn hi'n rhedeg hyd yn oed yn wa'th nag arfer. Ro'dd trwyne Annia fi'n rhedeg hefyd.

'Chi'n gwbod be ma hyn yn 'i olygu?' holodd Anni. 'Mae'n golygu bod y sneipod 'di dod 'nôl ar ôl i'r seler ga'l 'i llanw mewn. Falle'u bod nhw'n teimlo'n gartrefol yno. Ma'n nhw o dan ddaear yn rhywle, dwi'n siŵr o hynny.'

'Drychwch ar hyn!' gwaeddodd Pît.

Reidiodd 'i feic dros styllen bren o'dd yn pwyso yn erbyn wal un o'r tai. Dechreuodd baratoi'i hun i reidio'n ôl i lawr y styllen.

'Bydd yn ofalus!' gwaeddodd Anni.

'Falle y bydde cnoc ar 'i ben yn gneud byd o les iddo,' meddwn i. Ma Pît yn gwrthod gwisgo helmed.

Saethodd i lawr y styllen â'i goese ar led. Ar ôl iddo ddod i ddiwedd y styllen, saethodd ar hyd y llawr tuag atom. Camodd pawb allan o'i ffordd, ac aeth heibio i ni â rhubane o lysnafedd yn llifo allan o'i drwyn. Yn sydyn trawodd 'i olwyn flaen yn erbyn bricsen ac aeth y beic (a Pît) tin-dros-ben a glanio mewn pentwr o . . .

Sneipod.

Falle'u bod nhw ond yn dod allan yn y nos, sai'n gwbod. Do'dd dim sôn 'di bod yn y papure'n gweud bod yr adeiladwyr 'di gweld unrhyw greaduried bach gwyrdd. Ro'dd y sneipod yma'n llai na'n sneipen wreiddiol ni, ond tua dwywaith maint y rhai welson ni'n deor yn y seler rai wythnose ynghynt. Do'dd Pît heb sylweddoli ar be ro'dd e'n gorwedd nes i un ohonyn nhw neidio ar 'i wyneb. Dechreuodd sgrechian.

'Well i ni drio'i helpu,' awgrymais.

'Rho un rheswm da pam ddylen ni,' atebodd Anni.

'Mw, mw. Me, me. Cwac, cwac?'

Syllodd arna i. 'Dyna ti'n 'i weud bob tro.' Ochneidiodd yn uchel. 'Dere.'

Aeth Triawd y Buarth i helpu'u ffrind. Triodd pawb godi Pît ar 'i draed er bod 'yn trwyne'n rhedeg. Ro'dd Pît erbyn hyn wedi'i orchuddio â sneipod, a'r rheiny 'di dechre disgleirio.

'Amser swper, sneipod bach,' meddai Anni.

Neidiodd rhai o'r sneipod ar ein hwynebau a dechre llyfu. Gorweddodd Anni a minnau ar ein cefne. Mae'n amlwg bod ein haberth 'di cyffwrdd Steff, oherwydd gorweddodd hithe i lawr wrth ein hymyl a gadael i'r sneipod fwydo arni. Do'dd dim ishe gofyn dwywaith iddyn nhw. Neidiodd pump neu chwech ohonyn nhw ar 'i hwyneb a dechrau llyfu. A dyna lle roedden ni – yn gorwedd ar ein cefne wrth i'r pethe bach gwyrdd fwynhau'u hunen. Yr unig berson o'dd heb sylweddoli beth o'dd yn digwydd o'dd Pît. Gorweddodd ar y llawr yn crio, 'Pam fi? Pam fi? Pam fod y pethe 'ma wastad yn digwydd i fi?'

'Wel, ti'n aml yn cael pryd o dafod yn dwyt ti?'

Ro'dd Pît yn dal i grio.

Ymhen dim ro'dd pob diferyn 'di cael 'i lyfu oddi ar 'yn hwynebe a'n trwyne. Suddodd y sneipod yn ôl o dan y ddaear. O fewn eiliadau roedden nhw 'di diflannu'n gyfan gwbl. Ro'dd yn rhaid i ni frysio cyn i'n trwyne ddechre rhedeg eto. Ro'dd Pît yn edrych yn betrus. Aeth ar gefn 'i feic a'i wthio i fyny'r llethr. Pan gyrhaeddodd y top reidiodd i ffwrdd tuag adre nerth 'i draed. Syllodd Anni, Steff a fi ar y safle adeiladu a'r hyn o'dd ar ôl o'r goedwig. Ro'dd hi'n dechre tywyllu. Bydde Mam yn dechre poeni. Yn sydyn, dechreuodd Anni siarad:

'Drychwch!'

Ac fe edrychon ni. A gweld . . .

'Sneipen,' ebychodd Steff yn dawel.

Ro'dd 'na greadur bach gwyrdd yn bownsio o stafell i stafell, o sylfaen i sylfaen, yn bownsio'n uchel, yn bownsio'n isel, yn bownsio oddi ar walie a'r cymysgwyr sment ac unrhyw beth arall o'dd gerllaw. Ar ôl i'r Sneipen orffen 'i pherfformiad, moesymgrymodd o ben to tŷ bach symudol a syllu arnon ni. Eisteddodd yno am sbel gan ddechre canu grwndi'n uchel.

'Hwyl fawr, Sneipen!' meddai Steff.

Soniodd neb byth wedyn am ddigwyddiade'r noson honno, yn enwedig Pît. Ond bob rhyw hyn a hyn byddai un ohonon ni'n crynu'n sydyn neu'n tynnu gwep salw, ac fe fydde'r gweddill yn gwbod yn gwmws pam. Wedi'r cwbl, sawl person 'ych chi'n nabod sy 'di gadel i greaduried bach gwyrdd sugno'r sneips o'u trwyne?

Wel, chi'n nabod un. Ap Sgiw yw'r enw . . .

Jigi ap Sgiw